LIDERANÇA COM PROPÓSITOS

RICK WARREN

LIDERANÇA COM PROPÓSITOS

PRINCÍPIOS EFICAZES PARA
O LÍDER NO SÉCULO 21

Editora Vida
Rua Conde de Sarzedas, 246 — Liberdade
CEP 01512-070 — São Paulo, SP
Tel.: 0 xx 11 2618 7000
atendimento@editoravida.com.br
www.editoravida.com.br
@editora_vida /editoravida

LIDERANÇA COM PROPÓSITOS
© 2005, de Rick Warren
Originalmente publicado nos EUA com
o título *Liderazgo con propósito*
Edição brasileira © 2008, 2023, Editora Vida
(Miami, Flórida, EUA)

Todos os direitos desta edição em língua portuguesa reservados e protegidos por Editora Vida pela Lei 9.610, de 19/02/1998.

É proibida a reprodução desta obra por quaisquer meios (físicos, eletrônicos ou digitais), salvo em breves citações, com indicação da fonte.

■

Exceto em caso de indicação em contrário, todas as citações bíblicas foram extraídas de *Nova Versão Internacional* (NVI) © 1993, 2000, 2011 by International Bible Society, edição publicada por Editora Vida. Todos os direitos reservados.

Todas as citações bíblicas e de terceiros foram adaptadas segundo o Acordo Ortográfico da Língua Portuguesa, assinado em 1990, em vigor desde janeiro de 2009.

■

As opiniões expressas nesta obra refletem o ponto de vista de seus autores e não são necessariamente equivalentes às da Editora Vida ou de sua equipe editorial.

Os nomes das pessoas citadas na obra foram alterados nos casos em que poderia surgir alguma situação embaraçosa.

Todos os grifos são do autor, exceto indicação em contrário.

Editor responsável: Gisele Romão da Cruz
Editor-assistente: Aline Lisboa M. Canuto
Tradução: Jorge Alberto Russo
Revisão de tradução: Marcelo Smargiasse
Revisão de provas: Noemí Lucília Ferreira e Vânia Valente
Projeto gráfico e Diagramação: Marcelo Alves de Souza
Capa: Thiago Bech

1. edição: abr. 2008
2. edição: fev. 2023
1ª reimp.: set. 2008
2ª reimp.: mar. 2009
3ª reimp.: mai. 2010
4ª reimp.: jun. 2011
5ª reimp.: jul. 2012
6ª reimp.: dez. 2013
7ª reimp.: mar. 2014
8ª reimp.: jan. 2016
9ª reimp.: jul. 2016
10ª reimp.: mar. 2017
11ª reimp.: abr. 2018
12ª reimp.: mar. 2020
13ª reimp.: nov. 2020
14ª reimp.: ago. 2021
15ª reimp.: out. 2023

Dados Internacionais de Catalogação na Publicação (CIP)
(Câmara Brasileira do Livro, SP, Brasil)

Warren, Rick
  Liderança com propósitos : princípios eficazes para o líder no século XXI / Rick Warren ; tradução Jorge Alberto Russo. – São Paulo : Editora Vida, 2008.

  Título original: *Liderazgo con propósito*

  ISBN 978-85-383-0059-5
  e-ISBN 978-65-5584-348-4

  1. Bíblia. A.T. Neemias 2. Liderança cristã I. Título.

08-03003   CDD-253

Índices para catálogo sistemático:
1. Liderança cristã : Teologia pastoral : Cristianismo   253

Sumário

Prefácio à edição brasileira 7

1. A formação de um líder 11
2. A oração de um líder..31
3. Os planos de um líder...47
4. Como um líder motiva outros 65
5. Como um líder organiza um projeto............................85
6. Como um líder enfrenta seus opositores 103
7. Como um líder resolve os conflitos 121
8. As tentações da liderança 141
9. Os segredos dos bem-sucedidos 159
10. Como os líderes mantêm o sucesso............................177
11. O que é preciso para ser um grande líder 195
12. Epílogo: Como Neemias liderou ao estilo de Jesus,
    o líder dos líderes 211

Prefácio à edição brasileira

A liderança pode ser aprendida!

Muitos livros já foram escritos com base nos princípios de liderança de Neemias, mas afirmo que nenhum por um líder como Rick Warren. Ele de fato aplicou o que está neste livro, primeiramente em sua própria vida. Certamente você encontrará respostas e segredos simples que abriram caminho para que o autor seja o que é hoje e tenha chegado ao lugar que ocupa.

Pessoalmente, creio que a Bíblia é o maior tesouro da humanidade; quanto mais a estudamos e aplicamos seus princípios maravilhosos, mais nossa vida é transformada. Em *Liderança com propósitos*, sua liderança será inspirada, impactada e, consequentemente, transformada com a leitura e a aplicação desses mesmos princípios. Vale lembrar: este livro foca o líder; não as ferramentas da liderança.

Muitos advogam que falta liderança no mundo de hoje e que isso também ocorre nas igrejas. Discordo. O mundo e a igreja não estão carentes de líderes — há muitos líderes seculares e religiosos que exercem liderança na sociedade, nas igrejas e organizações religiosas no mundo todo; contudo o que enfrentamos hoje é uma crise generalizada de ausência de liderança saudável.

Sem exageros, afirmo com toda a convicção: o mundo nunca precisou tanto de liderança autêntica e bíblica como em nossos dias, quando grande parte da crise de valores por que passa o mundo, na família, na sociedade e na igreja, diz respeito a problemas de liderança, incluindo o caráter do próprio líder. Sofremos hoje uma epidemia avassaladora de liderança egocêntrica na sociedade e assistimos a uma crise sem precedentes de corrupção e imoralidade; na igreja, nas organizações e no ministério, uma crise de egocentrismo vergonhosa, o chamado "moneysterio", reina absoluta. Os noticiários e o comportamento atestam isso com facilidade.

Não sou, todavia, pessimista nem negativo. Creio que existe uma parcela de líderes experientes e maduros, e outra de novos líderes, que está fazendo diferença tanto no mundo secular quanto na igreja. Quando vejo jovens promotores no Brasil denunciando e abrindo processos contra grandes corporações, como a indústria do tabaco, instituições sociais e até mesmo religiosas, e contra poderes executivos, legislativos e judiciários, em todos os níveis, percebo que a epidemia ainda não contaminou a todos.

Hoje no Brasil já é possível ver pessoas ricas e influentes pagar na justiça por ter exercido uma liderança fraudulenta. No meio cristão, também começamos a ver o tipo de fruto da nossa liderança: enquanto muitos ministérios e igrejas no Brasil se firmam, outros ministérios, apoiados apenas na projeção pessoal e no dinheiro, começam a ruir. Eu creio num tempo para a liderança, e isso vem de Deus.

Conheço pessoalmente o autor desde 2001, portanto, antes de ele ser celebridade mundial, e posso garantir que continua tendo o mesmo caráter, nada se alterou em sua essência; continua sendo ramo da Videira (claro que sua agenda mudou, até mesmo por uma questão de boa mordomia do seu tempo); mas ele não foi para a TV nem trocou de casa; continua voando em avião comercial. Rick Warren não foi para o estrelato; pelo contrário, foi em direção à dor dos que sofrem: para a África, para Ruanda. Ele e a esposa estão sendo usados por Deus para mudar um dos países mais pobres do mundo por meio do programa P.E.A.C.E. (Plantar igrejas, Equipar líderes servos, Assistir os pobres, Cuidar dos doentes e Educar para a próxima geração).

Pastor Rick Warren tem sido um líder assim. Esse líder tem autoridade para nos apresentar cada palavra deste livro. Um homem íntegro, simples e sábio que tem liderado com sabedoria sua linda família. Fundador de uma das maiores e mais influentes igrejas do mundo, é um homem à frente do seu tempo que tem vivido valores de que tanto necessitamos. Rick Warren é autor de seis livros, dos quais se destaca o *best-seller Uma vida com propósitos,* nada menos que o livro de não ficção mais vendido em todo o mundo, com mais de 40 milhões de exemplares vendidos em inglês e mais de 700 mil em português. Foi apontado pela imprensa secular como um dos líderes mais influentes dos Estados Unidos, um homem que não mudou mesmo depois de tantos holofotes, respeitado dentro e fora da igreja, e eleito o evangélico mais influente do mundo pela revista *NewsWeek* neste século. Como foi Billy Graham no século passado. Tudo isso, sem dúvida alguma, é resultado da boa mordomia da influência e afluência de liderança que Deus lhe tem posto nas mãos.

Liderança é influência − talvez não tenhamos neste início de milênio um líder que tanto tem influenciado outros líderes, por isso realmente acredito que você, leitor, terá sua capacidade de liderança aperfeiçoada passo a passo com a leitura e o estudo deste livro, que trata desde os fundamentos para a liderança, a formação do líder, sua vida devocional, seus sonhos e projetos, suas crises e lutas, até tentações e aprendizado − um livro que vai mexer com a sua essência!

Como disse, este não é um livro de ferramentas sobre liderança. Mas, sim, um livro que fortalecerá o melhor e mais importante da liderança − o líder −, porque este não pode dar o que não tem. O autor foi justamente buscar em um líder bíblico o exemplo, os valores e princípios de vida que servissem de modelo e encontrou Neemias, cuja vida e obra são o esteio de seu feito empreendedor, que levanta dos destroços da cidade uma nova realidade. Não é possível transformar a vida de um povo só com palavras, mas com a nossa própria vida.

Pela primeira vez temos em português um livro do pastor Rick que não foi escrito em inglês. A obra que você tem em mãos foi publicada em espanhol, um livro que certamente fará diferença na vida de líderes latino-americanos por muitos anos. Além disso, o leitor tem à disposição vários recursos que o auxiliarão a analisar seu próprio estilo de vida e liderança. No fim de cada capítulo, você encontrará perguntas para reflexão sobre os princípios aqui estudados e também um guia para aplicar de forma equilibrada cada reflexão dentro dos propósitos de adoração, missões, comunhão, discipulado e ministério. Enfim, um livro diferente de tudo que você já leu sobre o tema!

Mergulhe nesta leitura, reflita nela, aplique os princípios aqui discutidos e faça diferença na vida das pessoas que o seguem!

CARLITO PAES
Pastor sênior da PIB em S. J. dos Campos-SP,
conferencista sobre liderança, escritor e líder do Ministério Propósitos Brasil.

CAPÍTULO 1

A formação de um líder

[...] a ordem se mantém com um líder
sábio e sensato.[1]

Por causa da transgressão da terra,
[...] mas por um, sábio e prudente, se faz estável a sua ordem.[2]

Uma liderança boa e forte: é disso que o mundo mais precisa hoje. Para qualquer lugar que olhemos — desde nossos governos até nossos negócios, vizinhanças e lares —, encontramo-nos rodeados pelos devastadores resultados da instabilidade, da indecisão e da corrupção.

Com o grande aumento do número de livros e seminários sobre liderança, talvez você se surpreenda com a notícia de que os segredos de uma liderança de excelência não são novos. De fato, nós os encontramos ao longo de toda a Bíblia. Neemias, um homem que viveu por volta do ano 450 a.C., é a inspiração para este livro. Escreveu sobre todos os elementos da liderança de que precisamos hoje e deu exemplo deles. Inclusive o fez anos antes de se inventarem os seminários sobre liderança. No entanto, Neemias não é o único exemplo dos princípios de liderança que a Bíblia ensina.

A Bíblia nos fala dos benefícios produzidos por uma liderança boa e sólida:

[...] a ordem se mantém com um líder sábio e sensato.[3]

---

[1] Provérbios 28.2.
[2] Provérbios 28.2, **ARA**.
[3] Provérbios 28.2.

Observe, em particular, que a Palavra fala de um governante sábio e de uma ordem que permanece. As nações, as famílias, os negócios e as igrejas são fortes e permanecem somente quando existe uma boa liderança. A versão Almeida Revista e Atualizada diz: "[...] por um, sábio e prudente, se faz estável a sua ordem". Em meio a tanta comoção e mudanças repentinas que vivemos hoje, a estabilidade tem de ser o pontal que nos permite sobreviver como sociedade. Só por meio de uma liderança boa e firme acharemos estabilidade. Isso significa que precisaremos de mais pessoas dispostas a se reconhecer como líderes e prontas para aprender princípios bíblicos de liderança, aceitando também o desafio. Essa é a razão por que escrevi este livro.

Na pirâmide da liderança, produz-se estabilidade quando o número de líderes cresce de acordo com o aumento das tarefas correspondentes. Se as tarefas excedem o número de líderes, a pirâmide é derrubada. Com os princípios que examinaremos neste livro, você aprenderá a impedir que o esmaguem.

Neemias será o nosso guia neste emocionante percurso nos princípios de liderança. Neste primeiro capítulo, vamos ver seu contexto pessoal. Antes, porém, quero explicar o que me motivou a escrever este livro. É o que chamo de "os princípios de liderança de Warren".

1. Nada acontece até que haja um líder

É uma lei da vida. A história o demonstra.

Enquanto não apareceu um homem chamado Martin Luther King e disse "Eu tenho um sonho", o movimento dos Direitos Civis dos Estados Unidos não era nada.

O programa espacial da Nasa quase não existia até que o presidente John F. Kennedy disse: "Vamos colocar um homem na Lua antes que termine esta década".

> Tudo se edifica ou se derruba conforme a liderança.

Quando um homem chamado Ray Crock disse: "Quero comida rápida, a bom preço e em um ambiente limpo", nasceu toda uma indústria chamada *fast food*.

A Igreja Saddleback começou porque Deus me disse: "Rick, quero que seja líder e ponha isto em marcha".

A formação de um líder

Quando há problemas em sua família, nada acontece até que alguém assuma a liderança e diga: "Vamos fazer algo a respeito disso".

Tudo se edifica ou se derruba conforme a liderança.

Ao longo da história, e inclusive no mundo atual, a maioria dos problemas acontece pela falta de líderes competentes. O mundo precisa de líderes preparados.

No livro de Juízes, encontramos sete ciclos. Um dia, as coisas iam bem e a vida tinha um aspecto razoável; mas, no dia seguinte, tudo ia abaixo. Vemos que esse esquema se repetia constantemente. No último versículo do livro de Juízes, temos o seguinte resumo: "Naquela época não havia rei em Israel; cada um fazia o que lhe parecia certo".[4]

Onde não há líderes, as pessoas fazem "o que lhes parece certo". E a consequência disso é a instabilidade.

2. Liderança é influência

Em uma só palavra: liderança é influência, para o bem ou para o mal. Se você visitar o pátio de uma escola, ou se sentar com um grupo de adolescentes, em cinco minutos descobrirá quem são os líderes; basta ver como se relacionam entre si. Se você esteve alguma vez numa reunião de comitê, é provável que tenha descoberto que muitas vezes o líder não é o presidente. O líder é a pessoa para quem todos ficam olhando a fim de averiguar o que ela pensa. Cada vez que influenciamos outra pessoa, estamos assumindo a liderança.

O apóstolo Paulo compreendia isso. Sabia que havia se tornado um modelo para os demais cristãos. Paulo entendia que Timóteo o admirava e queria que, enquanto recebia sua influência, este influenciasse outros. Por isso escreveu em 1Timóteo 4.12: "Ninguém o despreze pelo fato de você ser jovem, mas seja um exemplo para os fiéis [...]". A liderança não é uma questão de idade. Esta não tem nada a ver com a liderança. Em qualquer idade podemos exercer influência, e o certo é que você é um modelo, queira ou não. Todos somos líderes em algum aspecto. Cada vez que influencia uma pessoa, você está assumindo a liderança.

Portanto, a questão não é se você é ou não líder. A pergunta é: Você é um bom líder?

---

[4] Juízes 21.25.

A Bíblia define o líder como alguém que tem capacidade dada por Deus e a responsabilidade de influenciar um grupo de cristãos a fim de que os propósitos de Deus para esse grupo sejam cumpridos.

Neemias é um dos exemplos de liderança mais destacados na Bíblia: Por quê?

- Porque era um verdadeiro líder.
- Porque compreendia o que um líder precisava ser e fazer.
- Porque organizou-se para realizar proezas incríveis em tempo recorde.

3. A prova da liderança é esta: "Alguém está seguindo você?"

Se você quer saber se é líder ou não, precisa apenas olhar para trás por cima do ombro. Alguém segue você?

Jesus disse: "As minhas ovelhas ouvem a minha voz; eu as conheço, e elas me seguem".[5] Paulo disse: "Tornem-se meus imitadores, como eu o sou de Cristo".[6]

Não há dúvidas de que os cristãos devem seguir a Cristo. É certo também que todos precisam de modelos humanos para seguir. Precisam ver nos outros que aspecto há em sua liderança.

John Maxwell nos oferece esta parábola a respeito de liderança: "Quem pensa estar guiando, sem ninguém que o siga, está apenas dando um passeio". A liderança não é questão de títulos ou de postos. É questão de influência.

A maior parte de nós tende a associar títulos à liderança. É um erro. Há uma grande diferença entre ser chefe e ser líder. Ser líder é mais do que ter um cargo ou um título. São muitas as pessoas com autoridade que não têm liderança. O verdadeiro líder nem sempre é o funcionário escolhido ou o que é promovido ao cargo de presidente. Os verdadeiros líderes são os que marcam o passo, os que influenciam, os criativos que solucionam os problemas.

Uma pista: se você precisa dizer às pessoas que é o líder, se você precisa lembrar-lhes disso, você não é líder. Liderança é influência. Se você

---

[5] João 10.27.
[6] 1Coríntios 11.1.

não está influenciando ninguém, não importa se você pensa que é líder ou não. Você não é um líder. A liderança é questão de influência.

Isso é assim, inclusive nos lares. Quando um esposo diz para a esposa: "Vamos fazer assim, porque eu sou o líder espiritual", ele não é quem diz ser. Se você é um verdadeiro líder, não precisa lembrar isso a ninguém.

> Se você é um verdadeiro líder, não precisa lembrar isso a ninguém.

Dizer para o seu filho que lhe obedeça "porque eu disse" é uma posição muito fraca para motivá-lo. Qualquer pai diria para você que, no futuro, essa tendência não funcionará. A prova de liderança é esta: Alguém está seguindo você? Faça o que fizer, você não pode forçar ninguém a segui-lo. Você tem de inspirar as pessoas para que o sigam!

4. O fundamento da liderança é o caráter, e não o carisma

É provável que você tenha visto um bom número de líderes com muito carisma, cujos ministérios não duraram muito porque careceram de caráter. De fato, alguns líderes têm demonstrado grandes defeitos de caráter. Seu encanto pessoal os tem sustentado durante algum tempo, mas, no fim, manifesta-se nele a falta de caráter.

> Você tem de *inspirar* as pessoas para que o sigam!

O fundamento da liderança não é o carisma pessoal; é o caráter. O carisma não tem nada a ver com o que torna um líder eficaz. A liderança não diz respeito a uma personalidade encantadora e chamativa, um grande sorriso ou uma voz de veludo. O que você precisa, na verdade, é de caráter e credibilidade. A liderança é influência, e sem credibilidade sua influência não irá muito longe. Talvez as pessoas o sigam por um tempo, mas não demorará para que percebam que você está num caminho que não leva a lugar nenhum.

Reputação é o que as pessoas dizem que você é. Caráter é o que você realmente é.

D. L. Moody dizia: "O caráter é o que somos em meio da escuridão, quando ninguém está nos olhando". Em sua carta a Timóteo, Paulo apresenta as características necessárias para o líder na igreja. Nenhuma única vez ele menciona que sejam necessários estudos de seminário. A liderança não se baseia no preparo acadêmico. É questão de caráter, de quem você é.

Não há um tipo de personalidade concreto para os líderes. Talvez você tenha ouvido dizer, no passado, que os líderes são pessoas de temperamento colérico, ou pessoas que tomam conta das situações. Há, entretanto, líderes de todas as formas, de todos os tamanhos e de todos os temperamentos. Deus quer usar a sua personalidade, tal como ele mesmo a criou. Observe os quatro temperamentos diferentes dos líderes que vemos na Bíblia:

- Paulo era colérico.
- Pedro era sanguíneo.
- Moisés era melancólico.
- Abraão era fleumático.

Cada um deles era único e totalmente diferente dos outros. E Deus usou todos eles. A liderança não é uma questão de personalidade. Não é necessário que você seja extrovertido, sanguíneo ou colérico para ser líder.

> Reputação é o que as pessoas dizem que você é. Caráter é o que você realmente é.

O que, de fato, é necessário para a liderança é o caráter. É a única coisa que todos os grandes líderes têm em comum. Quando uma pessoa carente de caráter chega a um cargo de liderança, seus defeitos de caráter causam sua queda. Todos já vimos isso acontecer.

Neemias era um homem comum, fez coisas extraordinárias para Deus porque tinha caráter. Esse é o homem que descobriremos quando estudarmos sua vida.

À guisa de examinar as ações e os exemplos de outros líderes, podemos aprender com eles. No entanto, não podemos imitar a personalidade do outro. Deus nos criou com uma forma única. Quando tentamos imitar alguém, somos consumidos. Assim como as pessoas são diferentes, os líderes também o são. Sua identidade está formada pela credibilidade e pelo caráter.

A seguinte passagem nos mostra três características dos bons líderes:

- **Têm uma mensagem digna de ser lembrada**

"Lembrem-se dos seus líderes, que transmitiram a palavra de Deus a vocês. Observem bem o resultado da vida que tiveram e imitem a sua fé."[7] Quando eles falam, as pessoas escutam. Você fala de tal maneira que deixa marcas no coração das pessoas?

- **Têm um estilo de vida digno de consideração**

"Observem bem o resultado da vida." A vida deles está de acordo com sua mensagem? E a sua? Você vive de tal maneira, que deseja ser estimado pelos outros?

- **Têm uma fé digna de ser imitada**

"Imitem a sua fé". Qual é a mensagem da sua vida? O que Deus quer dizer ao mundo por meio da sua vida? Se você quer ser um bom líder, precisa desenvolver uma mensagem digna de ser lembrada, ter um estilo de vida digno de ser considerado e ter uma fé digna de ser imitada. Todas essas coisas pertencem ao caráter.

> Se você quer ser um bom líder, precisa desenvolver uma mensagem digna de ser lembrada, ter um estilo de vida digno de consideração e ter uma fé digna de ser imitada.

5. A liderança pode ser aprendida

Todos nós temos potencial para chegar a ser grandes líderes. A Bíblia diz: "Ponham em prática tudo o que vocês aprenderam, receberam, ouviram e viram em mim".[8] Paulo está dizendo: "os líderes não nascem, fazem-se". Aprendemos a ser líderes. Não existem líderes natos. As pessoas se convertem em líderes pela forma com que respondem às circunstâncias. Os líderes se levantam ou caem segundo as decisões que tomam.

O ministério de Jesus reflete a alta prioridade que ele dava ao treinamento de líderes. A Palavra nos mostra: "Escolheu doze, designando-os apóstolos, para que estivessem com ele, os enviasse a pregar [...]".[9]

---

[7] Hebreus 13.7.

[8] Filipenses 4.9.

[9] Marcos 3.14.

Jesus tinha um ministério público que compreendia a pregação, o ensino e a cura. Tinha também um ministério privado, dedicado ao treinamento dos discípulos.

Você já encontrou líderes que têm um círculo íntimo de uns poucos escolhidos que passam mais tempo em sua companhia? Até Jesus teve um círculo íntimo de discípulos que dele recebia uma atenção especial. Pedro, Tiago e João foram escolhidos por ele para que o acompanhassem até o jardim do Getsêmani e ao monte da Transfiguração. Jesus sabia antecipadamente as decisões que eles tomariam, e sabia o que podia lhes pedir.

Em Gálatas, Paulo diz que Pedro, Tiago e João são as colunas da Igreja. Jesus investiu o máximo de tempo naqueles que carregariam o máximo de responsabilidades. Alimentou as multidões, mas passou a maior parte de seu tempo dedicando-se a treinar líderes, porque a liderança pode ser aprendida. Você está investindo tempo em aprender a ser líder? Já que você está lendo este livro, pode responder que sim. Agora, o que vai acontecer quando você terminar a leitura? O que mais você está acrescentando à sua agenda para certificar-se de que você está aplicando esses princípios à sua realidade diária?

> No momento em que deixarmos de aprender, deixaremos de ser líderes.

No momento em que deixarmos de aprender, deixaremos de ser líderes.

Quando um líder deixa de aprender, deixa também de ser líder. Para sermos eficazes, precisamos nos desenvolver, crescer e nos converter continuamente ao que Deus quer que sejamos. O aprendizado para ser líder leva toda uma vida. Não digo isso para desanimá-lo, mas para inspirá-lo a buscar sempre formas de melhorar. Quando estudarmos a vida de Neemias nos próximos capítulos, veremos como Deus o preparou e o usou, e como usou a vida das pessoas as quais ele ensinou.

"Se o machado está cego e sua lâmina não foi afiada, é preciso golpear com mais força; agir com sabedoria assegura o sucesso."[10]

É necessário mais energia para cortar lenha com um machado que não está afiado do que com um machado afiado. Precisamos aprender a trabalhar com mais inteligência, não com maior esforço. As pessoas dizem que

[10] Eclesiastes 10.10.

o trabalho duro é o que leva ao sucesso. Eu conheço muitas pessoas que trabalham duro e, no entanto, não têm sucesso porque não aprenderam a trabalhar com mais inteligência. Tudo o que fazem é trabalhar esforçadamente.

O fato de você estar lendo este livro e examinando estas lições tiradas de Neemias diz mais a respeito de você do que a respeito do autor. Diz que você está interessado em aprender a ser líder. A pessoa que pensa que já sabe tudo o que precisava saber vai ficar para trás. O que diz: "preciso aprender, preciso crescer" é o que vai ter sucesso.

> Se o machado está cego e sua lâmina não foi afiada, é preciso golpear com mais força; agir com sabedoria assegura o sucesso.

Há uma razão especial pela qual Deus colocou este livro em suas mãos. O fato de você estar lendo-o agora é evidência de que o Senhor tem um propósito para sua vida. Formou você para ser líder. Ele quer que você influencie a vida dos outros. Vejamos...

O contexto histórico de Neemias

A cidade de Jerusalém foi destruída no ano 586 a.C. Os judeus que viviam ali foram deportados para a Babilônia (hoje, Iraque). Deviam estar no cativeiro durante setenta anos, mas no ano 537 foi permitido que um primeiro grupo retornasse. Em 516, o templo de Jerusalém foi reconstruído. Esdras foi o líder do segundo grupo de judeus que regressou a Jerusalém em 458. Logo, em 445, Neemias pediu autorização para voltar a Jerusalém com um terceiro grupo, a fim de reconstruir os muros da cidade.

Naqueles dias, as cidades eram protegidas pelos muros que as rodeavam. Se um inimigo a atacava, poderia levar até seis meses para abrir espaço e entrar, graças a esses muros. Quando Neemias entrou em cena, os muros de Jerusalém já estavam destruídos há décadas.

Os judeus viveram em cativeiro na Babilônia durante algum tempo. Finalmente, foi permitido que retornassem, pouco a pouco, e, depois, que reconstruíssem o templo. A cidade, porém, continuava em ruínas e os muros, um monte de escombros:

Os habitantes estavam indefesos.

Sem proteção, os habitantes de Jerusalém eram vulneráveis diante dos ataques e das provocações. Ao se ver indefesos, sentiam-se também desanimados e derrotados. Quando um exército entrava em uma cidade e se apoderava dela, a primeira coisa que se fazia era destruir seus muros. Era um símbolo da derrota e do desamparo. Com seus muros destruídos, Jerusalém era uma desonra para o povo de Deus. Era como uma declaração: "Deus os abandonou".

Muitos deles criam que Deus havia feito isso. Afinal de contas, o cativeiro de Israel era consequência de sua desobediência. Deus havia dito: "Se não passarem a se comportar como povo escolhido que são, permitirei que uma nação inimiga invada sua cidade". O povo não se comportou como era devido, de maneira que Deus permitiu a entrada da nação inimiga. Ele cumpre o que promete.

Agora estavam de volta e até tinham reconstruído o templo. Estavam vivendo em meio aos escombros, seu moral estava no chão, sentiam-se derrotados, desalentados e deprimidos. Como é natural, criam que Deus continuava aborrecido com eles. O que lhes faltava em um momento como aquele? Um líder.

Aqui entra em cena Neemias.

Palavras de Neemias, filho de Hacalias: No mês de quisleu, no vigésimo ano, enquanto eu estava na cidade de Susã, Hanani, um dos meus irmãos, veio de Judá com alguns outros homens, e eu lhes perguntei acerca dos judeus que restaram, os sobreviventes do cativeiro, e também sobre Jerusalém. E eles me responderam: "Aqueles que sobreviveram ao cativeiro e estão lá na província passam por grande sofrimento e humilhação. O muro de Jerusalém foi derrubado, e suas portas foram destruídas pelo fogo". Quando ouvi essas coisas, sentei-me e chorei. Passei dias lamentando-me, jejuando e orando ao Deus dos céus.[11]

O que estamos lendo aqui é o diário de Neemias. É a sua história, escrita por ele mesmo. Em suas palavras, lemos como ele conseguiu a permissão de um rei estrangeiro — um homem que não era cristão — para voltar a Jerusalém e reconstruir seus muros. Aquele era o mesmo rei que, quando, pela primeira vez, os judeus intentaram reconstruir o muro, havia ordenado que não o fizessem. Talvez você já tenha passado pela experiência de tentar mudar a maneira de pensar de alguém depois que lhe foi negado com grande firmeza o que você lhe pediu. Não é fácil!

[11] Neemias 1.1-4.

A formação de um líder

Neemias fez que isso acontecesse. Nesse notável diário pessoal, vamos conhecer o íntimo desse líder.

"Enquanto eu estava na cidade de Susã [...]". Susã não era a capital do império Persa; era uma espécie de palácio de veraneio. Neemias diz: "nessa época eu era o copeiro do rei"[12]. Assim ele ganhava a vida. Este era ele, um copeiro.

No Antigo Testamento, esse rei é conhecido por três nomes diferentes. Em alguns lugares, ele é chamado *Artaxerxes*, que significa "grande rei". Em outros, é chamado *Azaras*, que significa "pai venerável". No livro de Daniel, ele tem o nome de *Dario, o medo*. Isso nos diz algo sobre a forma com que os povos tratavam seus governantes naqueles dias, já que um só homem era conhecido por três nomes diferentes.

É provável que, por ser copeiro do rei, Neemias ocupasse o segundo cargo em importância dentro do reino. O copeiro do rei era uma combinação de primeiro-ministro, guarda-costas, agente pessoal de segurança e ajudante do rei. Era a pessoa na qual o rei mais confiava. O título de Neemias se origina, em parte, de suas responsabilidades, que incluíam a obrigação de provar o vinho antes que o rei o bebesse, para assegurar-se de que não estava envenenado. Naqueles dias, as tentativas de assassinato eram coisa comum. Se o copeiro caísse, o rei saberia que se tratava, muito provavelmente, de algo mais que um simples vinho em mal estado. Havia muitas pessoas que não gostavam de Artaxerxes e, assim, a profissão de Neemias era muito perigosa.

Neemias tinha de ser totalmente leal e digno de confiança, e Artaxerxes lhe confiava a própria vida. Ainda que seja provável que Neemias tenha nascido na Babilônia durante o cativeiro, ele não era persa; no entanto, ocupava o segundo posto em autoridade e era uma grande figura dentro do governo persa. Deus sempre tem *sua* maneira de colocar *seu* povo na posição necessária e no momento preciso.

> Deus sempre tem *sua* maneira de colocar *seu* povo na posição necessária e no momento preciso.

Hanani, um dos irmãos de Neemias, acabava de voltar de uma viagem a Jerusalém. Visto que Jerusalém está a uma distância de 1.300 a 1.600 quilômetros de Susã, é provável que ele tivesse levado uns dois meses nessa viagem sobre lombos de camelo, atravessando o deserto — uma viagem nada fácil.

---

[12] Neemias 1.11.

Neemias pediu notícias a Hanani. Queria saber tudo o que estava acontecendo à sua família em Jerusalém.

"Só trago más notícias", disse-lhe Hanani. "O povo está deprimido, nossos parentes estão desalentados e os muros continuam caídos. Reconstruíram o templo, mas toda a cidade está em ruínas. Estão invadindo a cidade e o povo está realmente desalentado. Más notícias, irmão!"

No versículo 4, vemos a reação de Neemias: "Quando ouvi essas coisas, sentei-me e chorei. Passei dias lamentando-me, jejuando e orando ao Deus dos céus".[13]

Neemias se sente triste com as notícias e envergonhado pelo povo de Deus. Nos versículos seguintes, leremos sua oração. Veremos também que Jeremias não orou apenas uma hora ou apenas um dia. As Escrituras dizem que ele ouviu as notícias no mês de quisleu e foi no mês de nisã quando o rei o deixou ir. Havia orado, chorado, jejuado e lamentado durante quatro meses. É claro que levou a sério aquelas notícias, e que as guardava no mais profundo do coração.

Neemias é homem de oração. Em seu diário, lemos 11 orações; mais que em qualquer outro livro da Bíblia. Por que você acha que Deus o escolheu para ser líder? Teria sido em virtude da sua vida de oração?

- **Por que Deus escolheu a Neemias como líder?**

Entre todas as pessoas possíveis, por que Deus escolheu a Neemias, o copeiro de um rei pagão? Há três razões para isso:
Vejamos...

I — Neemias era sensível diante das necessidades que via ao seu redor

Deus viu o coração de Neemias, e o que ele viu o fez sorrir. Neemias era um homem que se importava com o que Deus se importava. Ele tinha uma vida boa na Babilônia. Sim, era judeu, mas havia nascido ali na Babilônia, durante o cativeiro. Nem sequer havia visto Jerusalém. Os problemas de Jerusalém pareciam estar a um milhão de quilômetros de distância. Quando, porém, ouviu falar do povo de Deus — deprimido, desalentado e derrotado —, ele levou a sério essas notícias.

---

[13] Neemias 1.4.

Os líderes são sensíveis diante das necessidades das pessoas que os rodeiam.

Este é o primeiro Princípio de Liderança que encontramos no livro de Neemias. Deus usa pessoas que se importam com o que ele se importa. Para Deus, era importante o fato de os muros de Jerusalém estarem caídos. Neemias se importou com o que Deus se importou, e isso fez dele um líder.

> Os líderes são sensíveis diante das necessidades das pessoas que os rodeiam.

Bob Pierce, o fundador da Visão Mundial, dizia: "Quero que meu coração se quebrante diante das mesmas coisas que quebrantam o coração de Deus". A primeira qualidade de um grande líder é a sua sensibilidade diante das necessidades que estão ao seu redor.

II — Neemias era digno de confiança

Neemias era um homem de boa reputação. Artaxerxes lhe confiou sua segurança pessoal. Isso significa um grau muito alto de confiança. Deus usa pessoas que sejam dignas de confiança, seguras e fiéis.

> Quem é fiel no pouco, também é fiel no muito, e quem é desonesto no pouco, também é desonesto no muito. Assim, se vocês não forem dignos de confiança em lidar com as riquezas deste mundo ímpio, quem confiará as verdadeiras riquezas a vocês? E se vocês não forem dignos de confiança em relação ao que é dos outros, quem lhes dará o que é de vocês? Nenhum servo pode servir a dois senhores; pois odiará um e amará outro, ou se dedicará a um e desprezará outro. Vocês não podem servir a Deus e ao Dinheiro.[14]

Lucas apresenta quatro formas pelas quais Deus prova nossa fidelidade. Uma delas consiste em observar como servimos no ministério liderado por outra pessoa. Antes de nos confiar um ministério próprio, ele quer ver como nos comportamos diante da liderança de outra pessoa.

Outra das formas tem a ver com a administração de nossas finanças. A Bíblia indica com clareza que nosso estilo pessoal na administração do

[14] Lucas 16.10-13.

dinheiro determina quanto Deus pode abençoar nossa vida. Se as riquezas terrenas não podem ser confiadas a nós, quem vai nos confiar os verdadeiros tesouros espirituais?

> A primeira qualidade de um grande líder é sua sensibilidade diante das necessidades que estão ao seu redor.

Até que ponto você quer que Deus o abençoe? A decisão é sua. Peça-lhe que o faça digno de confiança e generoso, assim como ele mesmo é digno de confiança e generoso.

III — Neemias era disposto

Quando houve necessidade de um líder, Neemias disse: "Eu me ofereço! Aqui estou; envia-me!". Ele tinha o cargo mais invejável de todo o reino, e o problema estava a 1.600 quilômetros de distância. Levaria meses para chegar ali de camelo. Para Neemias, teria sido muito mais fácil permanecer onde estava, levando a vida fácil do palácio.

Ele, porém, disse: "Eu vou! Não sou construtor, mas vou reconstruir os muros!". Não tinha as habilidades necessárias para esse trabalho, mas tinha um coração disponível. Deus o escolheu porque era sensível e de confiança, e se colocou à sua disposição.

> Deus não busca nos líderes as capacidades tanto quanto busca a credibilidade, a confiabilidade e a disponibilidade.

Deus não busca nos líderes capacidade tanto quanto busca a credibilidade, a confiabilidade e a disponibilidade. Essas qualidades são, todas elas, questão de decisão. Talvez você diga: "Eu não tenho esses dons, o talento ou o intelecto necessário". No entanto, não é essa a pergunta que Deus está fazendo a você. Deus quer saber:

- Ele pode acreditar em você?
- Você tem caráter?
- Seu caráter está sendo desenvolvido?
- Você é sensível com as pessoas?
- Você é digno de confiança?
- Deus pode se apoiar em você?
- Você está disposto?

Nada acontece enquanto não houver quem providencie uma liderança para executar.

Tudo pode ser edificado ou destruído de acordo com os líderes.

Deus quer usá-lo como líder em seu lar, seu negócio ou sua igreja.

Você está disposto a deixar que Deus o use? Você está pronto para a liderança?

REFLEXÕES SOBRE LIDERANÇA

Vamos refletir...

- Você é sensível diante das necessidades que vê ao seu redor, ou se encontra tão envolvido com o que está fazendo que não pode escutar a voz de Deus?
- Você está consciente das necessidades que os membros de sua família têm?
- Você está consciente das necessidades de seus companheiros de trabalho?
- Você está consciente das maiores necessidades de sua igreja?
- Você poderia mencionar essas necessidades?
- O que comove seu coração?
- Você é confiável?
- Você é digno de confiança?
- Você está disposto?

> "Deus meu, quero estar disposto a deixar que tu me uses no lugar, no momento e da forma que tu quiseres"

Deus meu, quero estar disposto a deixar que tu me uses no lugar, no momento e da forma que tu quiseres.

Se você diz essas palavras com sinceridade, Deus vai usá-lo. E, quando você deixar que Deus o use, ele o fará em grande medida. Nestes dias em que as pessoas estão buscando esportes radicais e adrenalina, não há emoção maior que a de nos deixar ser usados por Deus para o seu Reino.

Pai, pedimos-te que nos sintamos desafiados pela vida de Neemias quando estudarmos sobre esse homem. Os princípios têm milhares de anos, mas aplicam-se hoje em nossa vida agitada. Senhor, queremos ser sensíveis e dignos de confiança, e nos colocamos à tua disposição. No nome de Jesus. Amém.

A formação de um líder

GUIA PARA APLICAÇÃO DO PRINCÍPIO 1

A formação de um líder

Aplicando os propósitos de Deus

Como você poderia ser um líder a serviço do Senhor?

Comunhão – Como cristãos, não podemos sobreviver sozinhos. Precisamos de pessoas que pensem como nós para crescer e prosperar. Os pastores e líderes, especialmente, precisam do apoio de seus amigos para seguir em frente. Uma célula pode fazer uma grande diferença no desenvolvimento de sua vida espiritual.

- Você faz parte de uma célula, ou tem um amigo de confiança?
- Como você pode ajudar outros membros do Corpo de Cristo a se tornar líderes capacitados?
- Existe alguém em seu grupo ou igreja a quem você pode apoiar em seu crescimento espiritual?

Discipulado – Aprender a ser um líder eficaz requer aprender a ser mais como Cristo.

- De que maneira você está se desenvolvendo como discípulo de Cristo ao estudar esta lição?
- O que mais você pode fazer para se assegurar de que está aperfeiçoando suas habilidades como líder?
- Lembre-se de que o exemplo de Cristo é servir a outros.
- A liderança requer maturidade, a maturidade necessária para entender que você não deve esperar as condições adequadas. Comece de onde está.
- Onde você acredita que Deus necessita de sua liderança?
- Escreva o que você pensa. Qual será o próximo passo?

Ministério – Onde quer que interajamos no Corpo de Cristo, de alguma forma nós ministramos uns aos outros.

- Que propósito você acredita que Deus quer alcançar por meio do seu grupo?

- Como Deus quer usar você para alcançar seu propósito?

- Que passos você pode dar para tomar consciência do exemplo que deve ser para outros cristãos? Anote as possibilidades que Deus lhe está sugerindo.

- Procure transformar-se em uma influência para o bem.

Evangelismo – Quando influenciamos outros para Cristo, nós nos tornamos, de fato, suas mãos e seus pés. Jesus passou seu tempo aqui treinando outros para que fossem como ele e pregassem seu exemplo quando seu tempo houvesse terminado.

- O que você aprendeu de Jesus que pode aplicar na atualidade para alcançar o mundo para ele? Faça uma lista dos momentos da sua vida nos quais sentiu a presença de Jesus de maneira especial. Essas são as áreas nas quais ele quer usá-lo para alcançar outras pessoas.

- Pense em um líder que você conhece e que tem sido Jesus em "carne e osso". Pense em como essa pessoa o influenciou em sua decisão de seguir Cristo de perto.

- Planeje converter suas ações em exemplos que permitam alcançar os que você quer alcançar.

- Decida conduzir as pessoas a Cristo por meio do seu exemplo – não as afugente.

Adoração – Quando adoramos a Deus, aprendemos mais a respeito do que ele é.

- Como o tempo que você separa diariamente para adoração pode influenciar seu caráter?

- O que você pode acrescentar em seu tempo de adoração para alcançar uma mudança em sua vida e na dos outros?

- Separe uns momentos para agradecer a Deus por seu exemplo e peça a ele que o ajude a ser mais como ele é.

A formação de um líder

Pontos para reflexão

Leia novamente a passagem de Neemias, no princípio do capítulo. Neemias reconheceu que o povo de Jerusalém estava indefeso, vencido e desprotegido. Eles necessitavam desesperadamente de uma liderança. Pense em qual foi a origem de seu problema.

- Existem condições semelhantes no mundo atual?
- Neemias estava disposto a deixar uma posição segura e cômoda para ajudar a seu povo. O que você está disposto a deixar para solucionar os problemas que Deus lhe tem revelado?

Lembre-se: na liderança, a confiança é mais importante que a disponibilidade. Em quem você pode confiar sempre? No próximo capítulo descobriremos o papel da oração na liderança, assim como aprenderemos a depender do líder máximo — Deus.

CAPÍTULO 2

A oração de um líder

Procurei entre eles um homem que erguesse o muro e se pusesse
na brecha diante de mim e em favor desta terra, para que
eu não a destruísse, mas não encontrei nenhum.[1]

Se fosse realizada uma pesquisa para descobrir as causas secretas de cada idade de ouro da história humana, não nos deveria surpreender o fato de tudo proceder da devoção e da pura paixão correta de um só indivíduo. Não há movimentos de massa genuínos; eles somente aparentam sê-lo. No centro da coluna sempre estará a pessoa que conhece a Deus, e que sabe aonde vai.[2]

Estamos constantemente nos desdobrando, quando não nos esticando até o ponto de ruptura, para delinear novos métodos e planos, novas organizações que façam a igreja progredir, assegurando maior disseminação e eficiência para o evangelho. [...] Os homens são o método de Deus. *A igreja procura métodos mais aperfeiçoados; Deus procura homens mais aperfeiçoados.*[3]

Deus anda à procura de pessoas que ele possa usar. Anda à procura de líderes, porque nada acontece enquanto não há ninguém que proporcione liderança. Tudo se levanta ou cai, de acordo com a liderança que existe.

Enquanto as pessoas andam ocupadas à procura de métodos, maquinários e motivações melhores, Deus diz: "Eu procuro pessoas melhores, pessoas a quem eu possa usar".

---

[1] Ezequiel 22.30.

[2] DAY, Richard Ellsworth. **Filled! With the Spirit [S.l.]:**. [Preenchido! Com o espírito] Zondervan Publishing House, 1938.

[3] BOUNDS, E. M. **Power Through Prayer [S.l.]:**. World Wide Publications, 1989. [**BOUNDS, E.M. O poder pela oração. São Paulo: Vida, 2010.**]

Quando perguntamos a alguém sobre sua vida particular, são inúmeras as figuras públicas de hoje que usam a desculpa: "Isso não diz respeito a ninguém". Alguém chegou a dizer: "Minha vida particular não afeta de modo nenhum a minha capacidade para governar a nação". Para Deus, isso não é assim. Isso é o que ele diz:

A eficácia na liderança pública é determinada pela vida particular do líder.

Neemias era um homem de oração. Seu diário particular, que se tornou público para nós por meio de seu livro no Antigo Testamento, guarda várias de suas orações, que começam com o que aparece no primeiro capítulo. Por suas conversas com Deus, conhecemos em maior profundidade a vida particular desse homem tão único.

Há algo mais: Deus gostava de responder às orações de Neemias. Você não ficaria encantado em descobrir o segredo desse homem? Se examinarmos com cuidado a vida de oração de Neemias, podemos aprender a forma de orar com eficiência, o tipo de oração que Deus gosta de responder.

> A eficácia na liderança pública é determinada pela vida particular do líder.

Quando Neemias soube da crítica situação em que Jerusalém se encontrava, a primeira coisa que fez foi orar. Esse é um bom ponto de partida para aprender a ser líder ao estilo de Neemias.

QUANDO UM LÍDER DEVE ORAR?

Antes de fazer qualquer coisa, os líderes devem orar. Quando Neemias ouviu as notícias que lhe deram acerca de Jerusalém, chorou, ficou de luto, jejuou e orou. Mais ainda, não orou apenas por alguns minutos, nem sequer por algumas horas, mas orou "por alguns dias". O líder faz muitas coisas, além de orar. O líder inteligente, porém, o que deseja agradar a Deus, não faz nada antes de orar. Você já pensou o que faz que algumas pessoas se tornem líderes e outras perdedoras? A diferença está nisto: os líderes dão à oração a mais alta prioridade; os perdedores fazem da oração seu último recurso.

Neste século XXI, tão inclinado à técnica, são muitas as pessoas que vivem em constante estado de agitação. São as personalidades do

Tipo A: ativas, em contínuo movimento, com tendência aos ataques de coração, orientadas em direção a lucros e metas, sempre ocupadas. Um estilo de vida assim pode ser demasiadamente agitado para orar. Ainda que Neemias tenha vivido séculos atrás, ele não era diferente de você nem de mim. Era um líder orientado para a conclusão de suas metas, que queria o êxito, tal qual nós queremos. Neemias dizia que, antes de fazer qualquer outra coisa, deveríamos buscar tempo para orar.

Neemias era também um homem de ação. Era organizador, motivador e administrador. Sob sua liderança, os muros que estavam destruídos durante décadas foram levantados em cinquenta e dois dias. Antes, porém, de começar a mover-se, caiu de joelhos. Quando ouvia que algo andava mal, não saía para organizar um comitê. Antes de fazer qualquer coisa, ficava a sós com Deus e orava. Esse era o esquema normal da vida de Neemias.

POR QUE O LÍDER DEVE ORAR?

1. Porque isso mostra que ele depende de Deus

Os seres humanos gostam de se sentir autossuficientes. Qualquer que seja o problema, nós podemos enfrentá-lo. "Para que orar?", pensamos. "Eu posso resolver esse problema sozinho." Dizemos: "E agora, o que vou fazer a respeito disto?", quando deveríamos perguntar: "Meu Deus, o que queres que eu faça a respeito disto?".

"[...] sem mim vocês não podem fazer coisa alguma",[4] é o que Jesus nos diz. Somente por meio de uma conexão com Cristo que seja fixa, sólida e mantida constantemente, poderemos chegar alguma vez a dar fruto em nossa vida.

> Não há nada que Deus não esteja disposto a fazer pela pessoa que depende dele.

Na Palavra lemos: "Bem-aventurados os pobres em espírito, pois deles é o Reino dos céus".[5] Não há nada que Deus não esteja disposto a fazer pela pessoa que depende dele. Só podemos começar a ser úteis como líderes quando reconhecermos que dependemos

[4] João 15.5.
[5] Mateus 5.3.

completamente de Deus. Quando a oração se converter em sua primeira reação diante dos problemas, como o era para Neemias, você saberá que está vivendo na dependência de Deus.

2. Porque isso alivia a sua carga

Neemias era um homem compassivo e sensível, um homem que sentia profundamente as coisas. Perturbado pelas más notícias recebidas, tratou de encontrar-se com o coração de Deus por meio da oração. Chorou pelas ruínas, mas não se limitou a ficar de luto ou a gemer. Orou. Levou o problema ao Senhor. Não murmurou; não gemeu nem se envolveu na autocomiseração. O nome de Neemias significa: "O Senhor é meu consolo". Ele sabia onde procurar socorro para o coração quebrantado: ele se pôs diante do Senhor.

Deus honra a oração que sai de um coração genuinamente quebrantado. Deseja escutar de nós: "Senhor, não posso com isto. Não sei como enfrentar! Ajuda-me!". Essas são orações a que Deus gosta de responder.

A liderança produz estresse, e o alívio se encontra de joelhos.

[...] mas aqueles que esperam no SENHOR renovam as suas forças. Voam alto como águias; correm e não ficam exaustos, andam e não se cansam.[6]

3. Porque libera o poder de Deus

Não há nada que libere o poder de Deus como a oração de fé. Em Jeremias 33.3, Deus diz: "Clame a mim e eu responderei e direi a você coisas grandiosas e insondáveis que você não conhece". A oração pode fazer tudo o que Deus pode fazer. A oração utiliza os mesmos recursos de Deus. Quando se coloca Deus em um projeto, o impossível torna-se possível.

COMO O LÍDER DEVE ORAR?

Podemos aprender muito sobre a pessoa pelo tipo de oração que ela faz. A oração que se assemelha a uma gravação gasta indica um espírito que secou. As orações egoístas, as que falam somente de "minhas" necessidades, são sinal de um espírito egoísta. Há orações que se parecem com

[6] Isaías 40.31.

A oração de um líder

listas de coisas desejadas. As orações impressionantes conseguem produzir um coração arrogante e cheio de orgulho. As orações dizem muito sobre quem ora.

Quando lemos a poderosa oração do líder que temos em Neemias (1.5-11), descobrimos o caráter desse homem. Ele orou durante quatro meses sobre o problema de Jerusalém. Longe de ser uma oração informal, ela oferece um esquema para termos êxito em nossas orações. Se quiser compreender o que é uma oração eficaz, permita que Neemias seja seu instrutor.

> A liderança produz estresse, e o alívio se encontra de joelhos.

Por toda a Bíblia, quando as pessoas oravam tinham uma razão para buscar a ajuda de Deus. "Senhor", diziam, "quero que faças isso porque...". Quando você orar, pergunte a si mesmo: "Por que Deus responderia a minha oração? Por que posso pedir-lhe que responda?". A Bíblia nos ensina a dar a Deus uma razão para responder a nossa oração. Com muita frequência, o que fazemos é pôr diante dele uma lista: "Quero isto", ou melhor, "Este é meu desejo". Apresente a Deus a razão da sua oração.

Neemias nos oferece quatro segredos das orações respondidas:

a) Ele baseava sua petição no caráter de Deus

Deus gosta dessa razão! Ele deseja que você o conheça e que dependa dele. No versículo 5, Neemias diz: "[...] Senhor, Deus dos céus, Deus grande e temível, fiel à aliança e misericordioso com os que te amam e obedecem aos teus mandamentos".[7] Há três coisas sobre Deus que precisamos dizer, como Neemias fez:

- Ele é grande: a posição de Deus.
- Ele é temível: o poder de Deus.
- Ele cumpre suas promessas: a fidelidade de Deus.

A primeira coisa que Neemias fez foi reconhecer quem é Deus. Quando reconhecemos o poder e a grandeza de Deus, nós o estamos louvando. Neemias disse: "Deus meu, sei que nossa situação é uma confusão,

[7] Neemias 1.5.

mas lembro-me de que tu és aquele que tem tudo sob controle. Sei que os problemas que há ali em Jerusalém são grandes, mas tu és maior que eles. Tu és maior que a confusão".

Começou por colocar a situação na perspectiva correta. As orações respondidas começam dizendo: "Deus meu, quero que me respondas por seres quem és. Tu nos fizeste estas promessas. Tu és um Deus fiel, amoroso e cheio de misericórdia". Estude os nomes de Deus. Conheça-os melhor e baseie sua petição no caráter divino.

b) Confessava o pecado que havia em sua vida

Deus havia advertido os judeus que o preço da desobediência seria alto. Eles perderiam seu lar em Israel, a Terra Prometida. No entanto, eles não quiseram escutar. Muitas vezes, parece que Deus está estabelecendo regras para ser seguidas, simplesmente porque ele é Deus. A verdade é que ele sabe que a desobediência vai nos prejudicar. Afinal de contas, foi ele que nos criou e, assim, quando lhe desobedecemos, estamos desprezando o Manual de Instruções da nossa vida. Por terem insistido em seguir o próprio caminho, os israelitas perderam tudo o que possuíam. A desobediência lhes custou sua cidade, seu templo e sua liberdade.

> [Q]ue os teus ouvidos estejam atentos e os teus olhos estejam abertos para a oração que o teu servo está fazendo diante de ti, dia e noite, em favor de teus servos, o povo de Israel. Confesso os pecados que nós, os israelitas, temos cometido contra ti. Sim, eu e o meu povo temos pecado. Agimos de forma corrupta e vergonhosa contra ti. Não temos obedecido aos mandamentos, aos decretos e às leis que deste ao teu servo Moisés.[8]

Neemias começou sua oração reconhecendo quem Deus é: "SENHOR, Deus dos céus, Deus grande e temível, fiel à aliança". Depois, admitiu quem ele mesmo era. Identificou-se com o povo de Israel ao confessar: "Pecamos". Os israelitas não haviam ido para o cativeiro por culpa de Neemias. Setenta anos antes, quando se produziram aqueles pecados, ele nem sequer havia nascido. No entanto, ele se incluiu no pecado da nação. O que ele disse foi: "Eu sou parte do problema".

---

[8] Neemias 1.6,7.

Existe uma confissão pessoal e uma confissão coletiva. Por exemplo, nos Estados Unidos, houve um tempo em que a nação reconhecia Deus e a necessidade que tinha dele, sua gratidão a Deus e o fato de não haver conseguido estar à altura de suas normas de qualidade. Por outro lado, hoje, o povo perdeu esse sentimento. Os norte-americanos tornaram-se individualistas. A maioria das igrejas do país ensina as pessoas a confessar "meus" pecados.

Quando foi a última vez que você confessou os pecados de sua nação, de sua família, de sua igreja ou os pecados de seus amigos? Em geral, nós não pensamos assim. Somos muito individualistas. Em muitas sociedades atuais, o conceito que prevalece é que cada um é responsável só por si mesmo.

Sinceramente, isso não está certo!

Você é, sim, o guardião de seu irmão. Todos nós estamos juntos nisto. São muitas as pessoas que dizem: "Tenho de fazer o que é melhor para mim", e assim justificam todo tipo de coisa. Neemias disse: "Não só tenho pecados pessoais a confessar, mas também pecados coletivos. Aceito a culpa dessas outras coisas". Talvez não pareça "justo", mas é a atitude que um líder deve assumir.

Os líderes aceitam a culpa; os perdedores a passam para outro.

Se você quer ser um líder eficaz, deve ser capaz de assumir a culpa e compartilhar o mérito. Os perdedores são sempre pessoas acusadoras e cheias de pretextos. Estão sempre fabricando desculpas e lançando a responsabilidade sobre alguém. Os líderes aceitam a culpa, como fez Neemias ao dizer: "temos pecado contra ti".

Em última instância, todo pecado é contra Deus. Quando quebramos uma lei humana, na realidade estamos ofendendo a Deus. Quando prejudicamos outra pessoa, estamos prejudicando a Deus. Davi confessou: "Contra ti, só contra ti, pequei e fiz o que tu reprovas [...]".[9] Depois de cometer adultério e assassinar o esposo de Bate-Seba, ele havia prejudicado outras pessoas, mas sabia que seu pecado era contra Deus. Os líderes aceitam a culpa.

> Sinceramente, isso não está certo!

[9] Salmos 51.4.

Quanto mais tempo tenho na vida cristã, mais consciente estou do meu pecado e da bondade de Deus. Isso talvez pareça uma raridade para muitos. Afinal de contas, a salvação não tem a ver com tudo o que está relacionado com o perdão dos nossos pecados? Sim, é assim. Como somos humanos, porém, continuamos a pecar. Pecar significa simplesmente não acertar o alvo da perfeição estabelecida por Deus. Não há nenhum de nós que não seja culpado. Mas Deus, por sua graça, decidiu usar pessoas imperfeitas como você e eu. Por isso, quando oramos, devemos fundamentar nossa petição no que Deus é, e depois confessar os pecados.

> Os líderes aceitam a culpa; os perdedores passam a culpa para outro.

c) Invocava as promessas de Deus

Lembra-te agora do que disseste a Moisés, teu servo: "Se vocês forem infiéis, eu os espalharei entre as nações, mas, se voltarem para mim, obedecerem aos meus mandamentos e os puserem em prática, mesmo que vocês estejam espalhados pelos lugares mais distantes debaixo do céu, de lá eu os reunirei e os trarei para o lugar que escolhi para estabelecer o meu nome".[10]

Neemias disse a Deus: "Lembra-te agora do que disseste a Moisés, teu servo". Você pode imaginar alguém que diga a Deus que "se lembre" de algo? Ele lembra a Deus o que o Senhor disse no passado. "Sim, é verdade que falaste que perderíamos a terra por nossa desobediência. Entretanto, prometeste também que, se nos arrependêssemos, a teríamos de volta".

Por toda a Bíblia encontramos gente que recorda o que Deus disse que quer fazer. Davi fez isso, Abraão também fez isso. Moisés fez isso. Os profetas fizeram isso. "Deus meu, quero recordar uma de tuas promessas...", começavam, e repetiam a promessa.

Será que Deus precisa que lhe recordemos as coisas? Não. Ele se esquece do que prometeu? Não. Então, por que fazer isso?

Precisamos fazer isso porque nos ajuda a recordar o que Deus prometeu. Não há nada que agrade mais a Deus que o fato de nós lhe

---

[10] Neemias 1.8,9.

recordarmos uma de suas promessas. Quando o fazemos, ele sabe que nós também estamos conscientes dessa promessa. As crianças se esquecem alguma vez das promessas que nós lhes fazemos? Nunca. Por isso, precisamos ter cuidado na hora de prometer-lhes algo. A Bíblia diz que somos pais imperfeitos. No entanto, se nós, em nossa imperfeição, sabemos que temos de cumprir as promessas feitas por nós aos nossos filhos, quanto mais o Pai perfeito, o Pai celestial, tem intenção de cumprir as promessas que ele fez em sua Palavra?

A oração transforma as promessas de Deus em obras. A oração consiste em tomar posse da Palavra de Deus. A oração consiste em pedir a Deus que cumpra o que prometeu. Quando oramos, estamos lhe pedindo que faça o que já prometeu e quer fazer. Neemias diz: "Deus meu, estou fundamentando minha oração no que tu és. Admito o que eu sou. E, depois, faço-o lembrar do que tu já disseste".

Você sabia que na Bíblia há mais de 7 mil promessas esperando que nós tomemos posse delas? Medite nesta história:

> Um homem morreu, foi para o céu e lá, para onde quer que olhasse, encontrava armazéns. "Para que são estes armazéns", perguntou. "Aqui é onde armazenamos os dons e as bênçãos", responderam-lhe. Quando pediu para ver os armazéns, achou riquezas muito superiores a tudo o que o ser humano pode imaginar: riquezas para satisfazer necessidades espirituais, necessidades nas relações, necessidades materiais... e as etiquetas de todas diziam o mesmo: "Nunca reivindicada".

Deus nunca fecha seu armazém enquanto você não fecha sua boca. Deus tem mais desejo de abençoá-lo do que você tem de receber suas bênçãos.

Mas você precisa reivindicar as promessas dele.

Neemias pôde reivindicar essas promessas porque as conhecia. Havia estudado a Palavra de Deus. Havia escondido em seu coração as promessas divinas. Quando foi a última vez que você aprendeu, de memória, uma das promessas que a Bíblia contém?

O segredo do êxito ao orar consiste em suplicar a Deus que ele cumpra o que prometeu. Eu sei muito bem que as promessas de Deus determinam a fortaleza da minha vida de oração. "Deus meu, tu o disseste, e, pelo que disseste, e pelo que és, eu te agradeço, porque tua resposta já está a caminho. Estou esperando de ti que supras as minhas necessidades." Precisamos conhecer as promessas de Deus. Sugiro que você escolha uma hoje e comece por ela. Assim, só restariam 6.999!

d) Era específico

Para obter respostas concretas às nossas orações, precisamos fazer petições concretas.

Se não for assim, como vamos saber que Deus nos respondeu?

> Estes são os teus servos, o teu povo. Tu os resgataste com o teu grande poder e com o teu braço forte. SENHOR, que os teus ouvidos estejam atentos à oração deste teu servo e à oração dos teus servos que têm prazer em temer o teu nome. Faze com que hoje este teu servo seja bem-sucedido, concedendo-lhe a benevolência deste homem. Nessa época, eu era o copeiro do rei.[11]

Neemias estava disposto a ir a Jerusalém. Ele declarou a Deus que estava à sua disposição. Estava disposto a dirigir as obras de reconstrução. No entanto, ele também era um homem realista. Para poder ir, sabia que tinha de conseguir a autorização do rei Artaxerxes, um homem que, decididamente, não cria em Deus. O rei tinha poder sobre a vida e a morte de todos na Babilônia. Além do mais, Neemias era sua mão direita, de modo que sabia que lhe faria falta um bom poder de convicção para conseguir que o rei lhe permitisse estar ausente durante três anos. Talvez, inclusive, fosse necessário um milagre.

Ele não teve medo de orar para pedir êxito. Alguma vez você já pediu a Deus que fizesse você triunfar? Se nunca fez esse pedido, por qual razão? Só há uma alternativa: o fracasso. Se o que está fazendo é, em última instância, para a glória de Deus, não há nada de mal que ore, pedindo o êxito. Estude o exemplo de Neemias. Ore com coragem. Ore que Deus lhe dê êxito na vida, para a glória divina.

Um ponto: Se você não pode pedir a Deus que abençoe o que você está fazendo, talvez o melhor seja começar a fazer alguma coisa diferente. Deus não quer que você desperdice sua vida.

---

[11] Neemias 1.10,11.

O que lemos em Neemias 1 é só um exemplo de suas orações durante aqueles quatro meses. É de supor que ele não repetiria as mesmas palavras uma e outra vez durante todo aquele tempo. O mais provável é que suas orações tivessem evoluído ao longo do tempo em que esteve orando, assim como acontece com as nossas preces. Quanto mais oramos sobre algo, mais clara se torna nossa súplica. Muitas vezes, uma das razões pelas quais Deus atrasa as respostas às nossas orações é o seu desejo de que nós lhe narremos nossas necessidades e aspirações.

Posso imaginar Neemias orando algo assim: "Deus meu, tens de fazer algo por aquelas pessoas. Peço-te que as ajudes". Talvez tenha orado assim durante umas semanas. É possível que Deus lhe tenha dito: "Neemias, você não está agindo com hipocrisia? Se você está tão preocupado com eles, por que não se envolve com o assunto?". Em algum momento, dentro daquele período de quatro meses, acendeu-se uma lâmpada na mente de Neemias. "Eu poderia ser a resposta a esta oração", pensou. "Talvez Deus possa me usar para reconstruir os muros. Eu faço! Estou disposto!" Levou tempo para Neemias compreender a visão que Deus já havia formado. Primeiro, orou dizendo: "Talvez Deus possa me usar como resposta a esta oração". Agora, por fim, ele ora dizendo: "Dá-me êxito".

Espere grandes coisas de Deus; faça grandes coisas para Deus.

WILLIAM CAREY,
fundador do movimento missionário moderno

Se você quer ser um líder bem-sucedido, como Neemias, precisa conhecer estas quatro características das orações que Deus responde:

1. **Oração de convicção** – Quando reconhecer quem é Deus, suas palavras devem estar cheias de convicção. Você crê que Deus é justo, um Deus grande? Crê que ele tem tudo debaixo do seu controle? Deus quer ouvir essa afirmação de você. Deseja responder a nossas orações. Reconheça, sem duvidar, quem ele é. Nisso consiste o louvor. O louvor consiste em ter orgulho do nosso Deus.
2. **Oração de confissão** – Devemos reconhecer quem somos diante de Deus: "Deus meu, eu cometi desastres. Equivoquei-me e sou imperfeito". Seja bem específico.

3. **Oração segura** – Você deve estar esperando que Deus faça realmente o que ele prometeu: "Sei quem és, sei quem sou e sei que tu o disseste". Eu creio; ponto-final. De fato, se Deus disse, isso decide tudo, crendo ou não. Reivindique suas promessas. Elas são as chaves que abrem as respostas para a oração. Tome posse dessas 7 mil promessas!

4. **Oração de compromisso** – Diga a Deus: "Estou disposto a fazer parte da solução. Usa-me, Deus meu. Comprometo-me a fazer tua obra".

Todos os que leem este livro são líderes, porque a liderança é questão de influência. Em algum lugar, em algum dos papéis que desempenha na vida, você está influenciando alguém. Isso faz de você um líder. Desse modo, a questão não é se você é um líder, mas, sim, que tipo de líder você é.

O primeiro passo da liderança consiste em desenvolver a vida particular, passando tempo a sós com Deus: um caminhar pessoal e diário com devoção. Se você quer ser um líder eficaz, desenvolva sua vida de oração. Aprenda a orar como Neemias, e você vai ver como as portas dos céus se abrirão.

E, então, você ora. E o que mais? O líder eficaz faz algo além de orar, mas não faz nada sem orar. Neste momento, estamos prontos para o passo seguinte do processo de nos transformar em líderes que Deus usa.

Vamos refletir...

Observemos juntos estes quatro passos para a eficácia na oração e falemos com Deus agora mesmo. Pense em algo que você realmente tem em seu coração, algo pelo qual você tem um verdadeiro desejo de orar.

1. **Em primeiro lugar, fundamente sua petição no que Deus é.** Antes de apresentar a Deus sua petição diga-lhe: "Deus meu, eu sei que podes responder a esta petição porque és..." e diga-lhe o que ele é. "És um Deus grande, um Deus amoroso, um Deus cheio de misericórdia. Escutas nossas orações. És um Deus fiel, que cumpre o que promete." A começar pelo que você crê a respeito de Deus, apresente-lhe sua petição.

A oração de um líder

2. **Confesse o pecado que há em sua vida.** Pergunte a Deus se há algum pecado que ele precisa revelar a você. Assim como cometemos pecados de maneira concreta, necessitamos confessá-los de maneira concreta. Não tome a saída fácil de dizer: "Deus meu, perdoa todos os meus pecados". Há alguma atitude ou algum tipo de ação que precisa mudar? Peça a Deus que o perdoe por tê-lo entristecido, e diga-lhe que você quer mudar essa atitude incorreta ou essa má forma de se conduzir. Peça-lhe que purifique sua vida desse pecado em particular.

3. **Agora, reivindique as promessas de Deus.** Se você não consegue se lembrar delas, sugiro o seguinte: "O meu Deus suprirá todas as necessidades de vocês, de acordo com as suas gloriosas riquezas em Cristo Jesus".[12]

4. **Por último, comprometa-se a fazer parte da solução.** Diga: "Senhor, estou disposto a fazer parte da resposta. Estou disposto a permitir que me uses como quiseres, com o objetivo de chegar à solução para o problema".

Obrigado, Pai, por essas lições que aprendemos com o grande líder chamado Neemias. Queremos desenvolver uma vida de oração que nos aproxime mais de ti. Em nome de Jesus. Amém.

[12] Filipenses 4.19.

GUIA PARA APLICAÇÃO DO PRINCÍPIO 2

A oração de um líder

Aplicando os propósitos de Deus

Como sua vida em oração pode melhorar sua eficiência como líder? Por meio de:

Comunhão – Jesus nos disse que onde dois ou mais estiverem reunidos, ele estará no meio deles. A oração não deve ser feita com outros para ser apenas efetiva; Deus se alegra claramente quando oramos com outros cristãos.

- Você conhece alguém que pode orar com você de modo regular pelas necessidades de seu grupo ou organização?
- O que você deseja receber de Deus?
- Como a oração conjunta o ajuda a ver Deus em ação?

Discipulado – Existe uma forma melhor de conhecer alguém do que se comunicar com essa pessoa? Uma simples conversa é, em geral, a mais eficiente ferramenta de comunicação disponível.

- Você quer crescer em Cristo?
- Você deseja uma relação mais profunda com seu Senhor e Salvador?
- Fale com ele frequentemente. Pode parecer estranho, já que não podemos "ver" Cristo como vemos outra pessoa com quem falaríamos, mas imagine que ele esteja do outro lado da linha telefônica, ou que é a pessoa que lê seu *e-mail* depois de você pressionar o botão "enviar". Faça dele seu companheiro favorito de mensagens instantâneas, e você crescerá em Jesus.

Adoração – Quando oramos, adoramos ativamente a Deus ao reconhecer seu senhorio.

- Que assuntos estão hoje em seu coração?
- Ao ler este capítulo, existe algo acerca de liderança que você crê que Deus lhe está revelando?

- Levando em consideração seus horários corridos, o que você pode fazer para priorizar a oração em sua vida?
- Identifique em seu grupo um companheiro com o qual você pode contar para ajudá-lo a desenvolver um hábito regular de "primeiro a oração".

Ministério – Como você já percebeu em seu ministério, a liderança produz estresse.

- Com o fim de ser um servo mais eficaz, onde você poderá encontrar força?
- Que benefícios a dependência total de Deus trará para o seu ministério?
- Em sua vida diária, onde você necessita de maior dependência de Deus?
- Que projeto você está empreendendo? Considere o poder que Deus oferece a você por meio da oração. Escreva o que Deus está revelando por este estudo e ore a esse respeito. Peça ao grupo que ore com você.

Evangelismo – O que o impede de alcançar o mundo para Cristo?

- Há alguma promessa divina que ainda não tenha sido reivindicada?
- Você sabia que há mais de 7 mil promessas na Bíblia esperando que você se aposse delas? Se nunca pediu a Deus êxito ao evangelizar, faça isso agora. Ele espera que você reconheça sua promessa. Ore, pedindo-lhe que o faça alcançar êxito em sua vida, para a glória divina.
- Você está fazendo algo que pensa que não será abençoado por Deus? Quem sabe você deveria fazer outra coisa? Busque a Deus agora mesmo em favor do êxito que deseja alcançar para ele.

PONTOS PARA REFLEXÃO

Segundo o que Neemias nos mostra, há quatro tipos de oração que Deus responde:

1) **Oração de convicção –** Qual a profundidade de sua fé em Deus quando você ora?

2) Oração de confissão – Você está realmente arrependido de seu pecado diante de Deus?

3) Oração de confiança nas promessas de Deus – Você confia em que Deus fará o que prometeu?

4) Oração de compromisso – Você procurará manter as promessas que fez a Deus e aos outros?

Se você quer ser um líder com a influência eterna do amor de Cristo, assegure-se de estar construindo uma relação pessoal com Deus que dê credibilidade ao ministério que desenvolve diante de outras pessoas. Se não tem uma relação assim, considere começar um diário de oração em que você vai registrar a ação de Deus em sua vida.

Uma vez que já oramos, o que vem a seguir? Esse é o tema do próximo capítulo.

CAPÍTULO 3

Os planos de um líder

*Porque sou eu que conheço os planos
que tenho para vocês, diz o* Senhor,
*planos de fazê-los prosperar
e não de causar dano,
planos de dar a vocês esperança e um futuro.*[1]

Quando um líder enfrenta um desafio, a primeira coisa que faz é orar e, depois, planejar. Sem um plano, não há maneira de saber como chegar aonde é necessário chegar. Os grandes líderes, como Neemias, são hábeis planejadores.

Cada um de nós foi criado à imagem de Deus. Com o fim de criar a você e a mim, e a todos os demais, Deus começou com um plano mestre. Na pessoa de Neemias, Deus nos tem dado um modelo de líder, como um esquema sobre a forma de planejar.

Há três razões pelas quais tanto você como eu devemos fazer planos.

PARA QUE FAZER PLANOS?

1. Deus faz planos

Pois Deus não é Deus de desordem, mas de paz.[2]

Deus faz planos. Esse fato não só faz que nos seja permitido fazer planos, mas mostra-nos que planejar é aconselhável, sensato e piedoso. Quando imitamos Deus, estamos reconhecendo sua grandeza. Para ser como ele é, precisamos fazer planos.

[1]   Jeremias 29.11.
[2]   1Coríntios 14.33.

2. Deus organiza

Veja bem por onde anda, e os seus passos serão seguros.[3]

Em seu coração o homem planeja o seu caminho, mas o SENHOR determina os seus passos.[4]

Mas tudo deve ser feito com decência e ordem.[5]

Deus ama a ordem. Quando nós seguimos seu esquema de trabalho planejado com todo o cuidado, estamos atuando em obediência a suas indicações, seu plano e seu propósito para nossa vida. Deus abençoa a obediência.

3. É boa mordomia

Tenham cuidado com a maneira como vocês vivem; que não seja como insensatos, mas como sábios, aproveitando ao máximo cada oportunidade, porque os dias são maus. Portanto, não sejam insensatos, mas procurem compreender qual é a vontade do Senhor.[6]

A administração de nosso tempo compreende que façamos o melhor uso possível das oportunidades que Deus nos proporciona. Para sermos bons mordomos do que ele nos tem dado, precisamos também ser bons planejadores. Quando não planejamos, não estamos cuidando do que Deus nos confiou. Faça planos para ser um bom mordomo dos recursos de Deus.

COMO OS LÍDERES PLANEJAM

1. Os líderes pensam em tudo detalhadamente

Neemias havia recebido aquele peso quatro meses antes, "no mês de quisleu", como ele mesmo diz. A partir daí, estava esperando que

---

[3] Provérbios 4.26.
[4] Provérbios 16.9.
[5] 1Coríntios 14.40.
[6] Efésios 5.15-17.

ocorresse algo. Agora, quatro meses mais tarde, "no mês de nisã", alguma coisa acontece. "O que estava acontecendo enquanto isso?" "O que Neemias estava fazendo entre o momento em que pensou, pela primeira vez, na reconstrução dos muros e o momento em que pôde por fim apresentar sua ideia ao rei?" Neemias estava se preparando: ele havia orado e feito planos. Quando o rei lhe perguntou: "O que você quer?", Neemias pôde lhe responder, porque tinha feito planos para aquele momento.

Você sabe o que significa deixar seus planos por um tempo? Em lugar de se sentir frustrado, veja esse tempo como uma oportunidade que Deus dá para fazer o que Neemias fez: orar e planejar. Quando você decidir e agir, permita que seja Deus o que se ocupe dos resultados (de todas as maneiras ele vai agir; só assim você o reconhecerá). Dessa forma, você vai ser muito mais eficaz como líder e sofrerá muito menos estresse.

Howard Hendricks disse: "Não há nada que aproveite mais que pensar nas coisas seriamente; tampouco há nada que exija mais que isso". Os líderes precisam de tempo para pensar. Muitas vezes, isso significa que devem separar um tempo para estar longe de tudo. Quando você necessitar fazer planos, pense em fazer um breve retiro longe das pressões e da agitação da vida diária. Busque um lugar que ofereça um ambiente onde você possa concentrar-se e converta esse lugar em "lugar para pensar". Separe um tempo para pensar e planejar.

Os líderes criam tempo para pensar.

Todo homem prudente age com base no conhecimento, mas o tolo expõe a sua insensatez.[7]

A sabedoria do homem prudente é discernir o seu caminho, mas a insensatez dos tolos é enganosa.[8]

Você separa um tempo para pensar sobre sua vida? As Escrituras nos dizem que a pessoa sábia faz isso. Faça agora mesmo estas três perguntas:

- Onde estou agora?
- Onde quero estar?
- Como posso chegar lá?

[7] Provérbios 13.16.
[8] Provérbios 14.8.

Isso é o que Neemias fez. Pensou bem nas coisas. Orou durante quatro meses, mas, enquanto orava, estava fazendo planos.

Quando oramos e planejamos, estamos abrindo a mente e o coração para Deus. Então é quando ouvimos sua voz. Talvez não escutemos sua voz audivelmente; de fato, o mais provável é que não o ouçamos dessa forma. No entanto, sim, você vai receber impressões e ideias que procedem dele. é quando ele dá a você uma visão. Para ser um líder eficaz, você precisa ter uma visão. A visão é o que destaca os líderes. Não planejar é o mesmo que planejar o fracasso!

> Os líderes criam tempo para pensar.

Você precisa pensar bem nas coisas. Precisa saber de antemão como vai proceder, e o que vai fazer no caso de as coisas saírem mal.

2. Os líderes se preparam para as oportunidades

Quando a oportunidade bater à sua porta, você precisa estar pronto para recebê-la. A vida está repleta de oportunidades, mas nem sempre estamos preparados para reconhecê-las. Se passar por cima de uma oportunidade que Deus colocou no seu caminho, você poderá estar perdendo o propósito divino para sua vida. Assegure-se de buscar a Deus todos os dias e de pedir-lhe que mostre as oportunidades que ele tem preparadas... Nunca sabemos de onde ela virá. Os melhores momentos de nossa vida podem ser consequência de atos muito pequenos e, nessas ocasiões, talvez pensemos que tudo sucedeu por acidente. No entanto, a menos que estejamos atentos para discernir as oportunidades, nós as poderíamos perder por completo.

> Não planejar é o mesmo que planejar o fracasso!

No mês de nisã do vigésimo ano do rei Artaxerxes, na hora de servir-lhe o vinho, levei-o ao rei. Nunca antes eu tinha estado triste na presença dele; por isso o rei me perguntou: "Por que o seu rosto parece tão triste, se você não está doente? Essa tristeza só pode ser do coração!" Com muito medo, eu disse ao rei [...].[9]

[9] Neemias 2.1-3.

Finalmente chegou o momento que Neemias estava esperando. Surgiu a oportunidade de apresentar sua ideia ao rei. Por fim, ele podia apresentar, e estava pronto, porque havia planejado.

O peso que Neemias sentia por Jerusalém o afetava emocionalmente, e se manifestou em seu aspecto externo. Naqueles dias, apresentar-se diante do rei com cara triste era um delito capital. Neemias sabia disso, mas estava desalentado e não podia esconder o fato. Havia orado por muito tempo, mas nada havia mudado.

Isso já aconteceu com você alguma vez? Você consegue se identificar com o desalento de Neemias?

Ele se perguntava o que Deus ia fazer com respeito àqueles muros.

Vendo a tristeza de Neemias, o rei lhe perguntou: "O que está acontecendo com você, Neemias?". Ele estava bem consciente do perigo em que se encontrava. Diante de seus leitores, ele reconhece: "Eu senti muito medo". Seu plano era duplo: 1) pedir a Artaxerxes que lhe permitisse ausentar-se; e 2) pedir autorização para reconstruir os muros de Jerusalém. Não esperava que o rei se sentisse encantado com essas duas petições.

Naqueles dias, se alguém fizesse um pedido ao rei do qual ele não se agradasse, estaria em sério problema. Neemias estava diante de um rei que tinha poderes de vida ou morte. Não é de admirar que sentisse medo. No entanto, não deixou que o medo o detivesse. Sabia disto: os líderes seguem adiante apesar de seus temores.

Existe um mito popular segundo o qual deveríamos crer que os líderes nunca temem. O certo é que os líderes sentem medo com frequência. O valor não é a ausência do medo, o valor consiste em seguir em frente apesar dos temores que tenhamos. Observe o que fez Neemias. O rei lhe disse: "O que você quer? É obvio que você está aflito". Neemias orou, não da mesma forma pela qual havia orado durante aqueles quatro meses, mas orou com rapidez. Algumas vezes precisamos que nossa oração seja um "S.O.S." como este: "Deus meu, dá-me sabedoria. Ajuda-me a saber o que dizer".

> Os líderes seguem adiante apesar de seus temores.

Neemias respondeu ao rei: "Como não estaria triste o meu rosto se a cidade em que estão sepultados os meus pais está em ruínas e as suas portas foram destruídas pelo fogo?".[10] Escolheu com todo o cuidado suas palavras; e, para assegurar ao rei sua lealdade, começou com um "Que o rei viva para sempre!". Como guarda-costas do rei, Neemias sabia que um rosto triste podia ser interpretado como um rosto que escondia informação acerca de algum problema, como uma conspiração para assassiná-lo. Naturalmente, o rei queria saber por que seu funcionário mais importante estava tão aflito.

"[...] a cidade em que estão sepultados os meus pais está em ruínas [...]"[11], disse Neemias, apelando para o respeito cultural dos orientais por seus antepassados e por sua tradição de manter em bom estado os terrenos onde esses estavam sepultados. Funcionou! O rei lhe respondeu: "O que você quer?".

Como havia feito planos para aquele momento, Neemias soube com exatidão o que devia pedir.

3. Os líderes fixam uma meta

[...] e respondi ao rei: Se for do agrado do rei e se o seu servo puder contar com a sua benevolência, que ele me deixe ir à cidade onde meus pais estão enterrados, em Judá, para que eu possa reconstruí-la.[12]

Vemos agora que Neemias pede coisas concretas. Sua meta é definida: quer reconstruir os muros.

O passo seguinte no planejamento é a fixação de uma meta. Sem um alvo, não estamos apontando para nada, e isto é precisamente o que vamos atingir: o nada. Ao estabelecer seus objetivos, faça a você mesmo três perguntas:

- O que ser?
- O que fazer?
- O que ter?

Dois dos erros mais comuns que cometemos ao estabelecer esses objetivos são determinar metas muito baixas ou ter expectativas pouco realistas quanto ao cumprimento desses alvos. Ou nos satisfazemos de modo

[10] Neemias 2.3.
[11] Neemias 2.3.
[12] Neemias 2.5.

demasiadamente fácil com uns resultados medíocres, ou queremos obter tudo na hora. Quando fazemos um plano que incorpora uma meta para cada passo, podemos ir seguindo nosso progresso. Podemos ver como estamos alcançando nosso ponto de destino.

Centímetro a centímetro, tudo é brincadeira de criança.

Não tenha medo de fazer planos grandes, por receio de que Deus tenha de acudir para resgatar você. Deus se encanta com planos grandiosos. O fato de fazer grandes planos honra a Deus. Com efeito, estamos dizendo: "Isto é o que estou esperando que Deus faça". Não se trata do que eu posso fazer, mas do que ele pode fazer.

> Centímetro a centímetro, tudo é brincadeira de criança.

Neemias fixou-se na meta de reconstruir os muros ao redor de toda uma cidade. Ele era copeiro, não construtor de muros. Nunca havia levantado nenhum muro. Nunca havia edificado nada. Entretanto, não teve medo de fixar uma meta grande, porque servia a um Deus grande.

A maioria de nós fixa metas muito baixas e busca atingi-las com muita rapidez. Deus nos pede para sonhar grande e ir devagar.

4. Os líderes fixam datas limite

> Então o rei, estando presente a rainha, sentada ao seu lado, perguntou-me: "Quanto tempo levará a viagem? Quando você voltará?" Marquei um prazo com o rei, e ele concordou que eu fosse.[13]

Sem uma data limite, uma meta não é meta, é só um desejo. O estabelecimento de data limite é a parte do planejamento que fixa um calendário. Você sabe o que quer fazer, e sabe quando quer que esteja pronto. Agora, a pergunta é esta: Quanto tempo vai ser necessário?

Artaxerxes apreciava Neemias, como o evidencia sua pergunta: "Quanto tempo levará a viagem?". Por que será que Neemias acrescentou as palavras "estando presente a rainha, sentada ao seu lado"? Talvez compreendesse a influência dela sobre a receptividade do rei. O mais provável é que, por ser Neemias a mão direita do rei, houvesse amizade entre ele e a rainha. Com sua rainha junto a ele, e seu ajudante

[13] Neemias 2.6.

principal servindo-lhe vinho, o rei estava feliz. Neemias reconheceu que era o momento adequado, assim apresentou sua petição: "Realmente, o que eu queria fazer era regressar para reconstruir os muros ao redor da cidade onde se encontram as sepulturas de meus antepassados", começou a dizer. É possível que fizesse essa petição nesse momento, sabendo que a rainha influenciaria Artaxerxes para que ele o deixasse ir. Uma coisa, sim, sabemos com segurança: Deus era quem havia fixado aquele momento.

Neemias orou, fez um plano, fixou uma meta... e estabeleceu uma data limite.

5. Os líderes preveem os problemas

Se for do agrado do rei, eu poderia levar cartas do rei aos governadores do Trans-Eufrates para que me deixem passar até chegar a Judá.[14]

Agora que já tem permissão para ir, Neemias pede proteção. Sua viagem da Babilônia (Iraque) até Israel tinha uma distância de 1.300 a 1.600 quilômetros e passava por diversas províncias. Ele sabia que ia necessitar da ajuda de alguém como o rei para chegar são e salvo a seu ponto de destino. Por isso, ele disse a Artaxerxes: "Quero que me dês cartas de autorização, de maneira que não tenha problemas quando chegar ali".

Vê-se claramente que Neemias tinha pensado em tudo. Quando o rei lhe perguntou o que queria, ele já tinha a resposta preparada, porque havia pensado até nos detalhes. Havia feito planos para aquele momento. Durante quatro meses passados não estava só orando, mas também planejando, de modo que quando surgiu a oportunidade, pôde dizer o que necessitava.

Quando você planejar, não se esqueça de prever que problemas podem surgir. Pergunte a você mesmo: O que pode me deter? O que pode dar errado? O líder prudente reconhece que, se há algo que pode ir mal, o mais provável é que assim ocorra. Planeje para a possibilidade de um desastre.

Os administradores se centram nos problemas do momento; os líderes, na resolução dos problemas de amanhã.

[14] Neemias 2.7.

Os planos de um líder

Em toda organização, fazem falta tanto os administradores como os líderes. No entanto, é importante reconhecer que eles não desempenham a mesma função. Os administradores centram-se nos detalhes cotidianos, os problemas que surgem todos os dias. Os líderes preveem os problemas. Fazem a si mesmos essas perguntas que começam com um "e se...?", perguntas que ninguém mais pensa sequer em fazer. Eles veem o problema, e têm preparada a solução para enfrentá-lo, antes que se torne uma realidade.

Quando as reuniões de domingo na igreja que pastoreio começaram a lotar o templo, vi a necessidade de celebrar outra reunião no sábado. Nessa época, quase não havia igrejas cristãs tradicionais que realizassem reuniões aos sábados. Eu estava pensando com um ano de antecipação, aproximadamente.

> O líder pensa muito mais adiante que os demais.

Isso é o que um líder deve fazer. O líder pensa muito mais adiante que os demais. Da mesma forma que Neemias, os líderes visionários vão adiante, prontos para enfrentar os problemas quando chegam, com soluções que eles já encontraram.

Ainda que administração e liderança sejam coisas distintas, ambas são necessárias.

> O prudente percebe o perigo e busca refúgio; o inexperiente segue adiante e sofre as consequências.[15]

A previsão dos problemas e a antecipação para resolvê-los são parte de um planejamento eficaz.

6. Os líderes calculam o preço

> E também uma carta para Asafe, guarda da floresta do rei, para que ele me forneça madeira para as portas da cidadela que fica junto ao templo, para os muros da cidade e para a residência que irei ocupar.[16]

Como o planejamento exige tempo e dinheiro, o orçamento é o próximo ponto que o líder precisa levar em consideração. Você já percebeu

---

[15] Provérbios 27.12.
[16] Neemias 2.8.

que tudo na vida tem um custo? Neemias apresentou ao rei toda uma lista de petições: "Primeiro, quero que me deixes ir. Depois, quero que me dês a proteção de que necessito para chegar lá. E, aproveitando a oportunidade, quero também que sejas tu a pagar o projeto".

Como tinha tudo bem pensado, Neemias sabia com precisão do que ia necessitar. Quando o rei lhe concedeu audiência, essas foram as coisas que ele pediu. Necessitava de madeira para levantar as vigas das portas da cidade, madeira para os muros e madeira para edificar sua casa. Leve em consideração que Neemias não era construtor. Nunca havia edificado nada em toda a sua vida. Quando, porém, surgiu a oportunidade de apresentar suas necessidades ao rei, ele lhe disse com exatidão do que precisava, porque havia feito planos.

Os líderes eficazes oram e depois planejam.

Como Neemias soube o que necessitava pedir? Como soube que havia um bosque real perto de Jerusalém? Calculou o preço e planejou com antecedência. Antes de envolver-se com a situação, analisou o que estava fazendo. Fez as investigações necessárias. Até conhecia o nome do guarda da floresta. Ele já havia pensado em tudo aquilo, de modo que estava pronto quando a oportunidade bateu à sua porta.

Deus tem oportunidades magníficas esperando por você, mas você tem de estar preparado para ir ao encontro delas. Se Neemias não tivesse feito seus planos, não estaria preparado. Como seu planejamento foi detalhado, sabia exatamente o que devia pedir. Havia calculado o preço. Jesus diz que nós também precisamos calcular o preço.

> Os líderes eficazes oram e depois planejam.

> Qual de vocês, se quiser construir uma torre, primeiro não se assenta e calcula o preço, para ver se tem dinheiro suficiente para completá-la?[17]

Neemias está tão comprometido com sua visão que se dispõe a passar por riscos consideráveis para alcançá-la. Ele sabe que está fazendo petições a um rei pagão. Tem sua lista preparada, e colocou sua confiança no Senhor.

Pede autorização, proteção e recursos, e tudo com um grande risco para a própria vida. Cada vez que o rei lhe concede uma das coisas

---

[17] Lucas 14.28.

Os planos de um líder

que pede, dispõe-se a aventurar-se um pouco mais e ir além. Você já esteve em alguma situação como essa? Eu já. Quando se dá conta de que ainda não o jogaram fora, você continua avançando. Vai empurrando os limites, querendo ver até onde pode chegar. A liderança tem seus riscos.

OS LÍDERES ESTÃO DISPOSTOS A PEDIR AJUDA A OUTROS

Não têm, porque não pedem.[18]

Os líderes reconhecem que, para atingir suas metas, necessitam da ajuda de outros. Precisamos pedir ajuda a Deus e a outros. Nenhum líder pode realizar grandes tarefas sozinho. Não cometa o erro de supor que ninguém quer envolver-se, porque você não pediu. Deixe que decidam por si mesmos. Deixe que tomem a decisão. Não tenha medo de pedir ajuda.

É necessário incrível ousadia para fazer o que Neemias fez, ao pedir ajuda a um rei pagão, um homem que tinha em suas mãos o poder da vida e da morte. Como havia dedicado quatro meses orando e planejando, a fé de Neemias foi fortalecida. Ainda que seus joelhos tremessem, sua confiança em Deus lhe deu a coragem necessária para avançar com seu plano.

> A liderança tem seus riscos.

O coração do rei é como um rio controlado pelo SENHOR; ele o dirige para onde quer.[19]

As decisões mais sábias são as tomadas após oração e planejamento. Deus escolhe a direção que o líder prudente reconhece por meio desses dois recursos. A história de Neemias ilustra a verdade que é Provérbios 21.1. Deus tinha o controle total sobre o coração daquele rei pagão. Deus é especialista em transformar corações.

Talvez você sinta o desejo de realizar algo em seu local de trabalho. Como não é o presidente da empresa, sente que sua influência é limitada. Você é um dos administradores do nível médio, e os planos que você

[18] Tiago 4.2.
[19] Provérbios 21.1.

executa raramente são seus. Você precisa saber isto: o coração do executivo, como o coração do rei, está nas mãos do Senhor, que pode levá-lo aonde ele quiser. O coração do presidente de sua empresa está nas mãos de Deus. E Deus é especialista em mudar corações. Ele é soberano, de modo que tudo o que acontecer é decisão dele. Isso é certo, até mesmo quando os planos não tomam o curso que você pensa que deveriam tomar. Deus continua tendo o controle de tudo. Nós conseguimos ver as coisas a curto prazo. Deus vê muito além no caminho.

Neemias não tratou de manipular o rei. Quando este lhe perguntou: "O que está acontecendo?", ele foi sincero. "Minha cidade de origem está em ruínas", disse. Não inventou uma história para regressar a Jerusalém por motivos falsos. Não tentou enganar ao rei, nem brincou com ele. O que fez, de fato, foi orar. Neemias reconhecia que o coração do rei estava nas mãos de Deus, de modo que pediu a Deus que agisse por meio de Artaxerxes.

> Não cometa o erro de supor que ninguém quer envolver-se, porque você não pediu.

Quando você tiver um chefe que não simpatiza com um projeto ou uma meta que você tenha, não tente manipulá-lo. Em vez de manipulá-lo, faça o mesmo que Neemias: limite-se a falar com Deus sobre ele. O coração do rei — e de seu chefe — está nas mãos de Deus. Somente ele pode mudá-lo. Quando você tentar fazer isso, terá caído na manipulação. Deixe que seja Deus quem mude o coração. Ore por esse chefe, e observe como Deus faz a mudança. Essa é sua atividade favorita.

> Visto que a bondosa mão de Deus estava sobre mim, o rei atendeu os meus pedidos.[20]

Neemias atribuiu todo o mérito a Deus. A primeira metade do livro de Neemias é autobiográfica; a segunda metade está narrada em primeira pessoa, de modo que é possível que Esdras, ou outro dos cronistas daquele tempo, a tenha escrito. Aqui, no segundo capítulo, é Neemias mesmo quem diz que Deus está por trás de tudo o que está acontecendo. Neemias sabe perfeitamente que a vitória não é resultado da sua capacidade.

---

[20] Neemias 2.8.

Quando reconhecemos a mão de Deus por trás das pessoas que estão atrasando nosso projeto — esse projeto que, sabemos, vai transformar o mundo —, estamos demonstrando maturidade espiritual. Neemias disse: "Deus estava comigo". Se, entretanto, ele não tivesse orado e planejado, e não estivesse disposto a agir e a se arriscar — e se ele nem tivesse tomado conhecimento do que estava acontecendo de acordo com o calendário divino —, não teria acontecido nada.

> Ao homem pertencem os planos do coração, mas do SENHOR vem a resposta da língua.[21]

> Com isso fui aos governadores do Trans-Eufrates e lhes entreguei as cartas do rei. Acompanhou-me uma escolta de oficiais do exército e de cavaleiros que o rei enviou comigo.[22]

O rei não apenas ofereceu sua proteção a Neemias durante a viagem, como também lhe enviou uma escolta militar. Neemias obteve mais do que havia pedido. Isso é imagem da verdade que lemos na Palavra: "[Deus] é capaz de fazer infinitamente mais do que tudo o que pedimos ou pensamos, de acordo com o seu poder que atua em nós [...]".[23] Neemias se dava conta de que estava correndo um grande risco ao pedir tantas coisas, mas, quando o rei pensava em desistir, lhe disse: "E você também vai acompanhado por uma escolta militar". Aquilo era um milagre.

Imagine a emoção de Neemias enquanto cavalgava pelo deserto rumo a Jerusalém.

"Não posso acreditar!", deve ter pensado. "Há quatro meses, isso era apenas um sonho, uma ideia que Deus me deu. Agora, tenho uma escolta militar que me leva para a minha cidade a fim de edificar meu sonho, e com seu dinheiro!"

Porque Neemias confiou em Deus... porque orou, planejou e esperou em Deus... obteve tudo o que pediu, e mais que isso.

Quando Deus encontra uma pessoa que vê a visão dele, proporciona-lhe os recursos necessários. Neemias havia ouvido a voz de Deus.

---

[21] Provérbios 16.1.
[22] Neemias 2.9.
[23] Efésios 3.20.

Estava sensível diante do coração de Deus, e disposto a se deixar usar por ele. Quando Deus o moveu, ele começou a orar. Deus traduziu em visão o peso que Neemias sentia pelos demais. Assim é como trabalha a oração perseverante. Transforma o peso em uma visão. Não há nada que Deus não esteja disposto a fazer por uma pessoa que vê a visão que ele tem.

O segundo capítulo de Neemias é um lindo exemplo da harmonia possível quando Deus e o homem colaboram para a obtenção de coisas sobre a terra. Deus é soberano. Nossa missão é orar, planejar e estar preparados.

> Não há nada que Deus não esteja disposto a fazer por uma pessoa que vê a visão que ele tem.

Oramos para que Deus prepare as circunstâncias que estão além do nosso controle. Depois fazemos planos para o que podemos controlar. Não é nem uma coisa nem outra. Não é: "Ore e deixe que o Espírito guie você". Ouvimos muito isso, mas a Bíblia diz que é uma necessidade. As Escrituras dizem que o homem prudente faz planos. O êxito exige a parte de Deus e também a minha. Temos de orar, apoiar-nos em Deus, planejar e realizar com grande esforço. A oração e o planejamento acontecem juntos.

Como Neemias se preparou, quando surgiu a oportunidade ele a reconheceu e estava pronto.

OS LÍDERES SE PREPARAM PARA O ÊXITO EM VEZ DE SE PREOCUPAR COM O FRACASSO

Neemias não se preocupava com o que poderia acontecer caso seu plano não funcionasse. Havia planejado e orado, como se o que iria suceder fosse inevitável.

Aplique isso à sua vida. Você quer, de fato, crescer espiritualmente? Você está lendo este livro, e isso é uma boa indicação de que sua resposta é afirmativa.

> O êxito exige a parte de Deus e também a minha.

Que planos você fez para seu crescimento espiritual? Nós planejamos tudo sobre nossa vida. Por que não planejamos nosso crescimento espiritual? Você tem um plano para ler toda a Bíblia? Você tem um plano para separar um tempo todos os dias e dedicá-lo à oração? Você tem um plano para falar do Senhor a essa pessoa de seu trabalho? Você tem um plano para convidar essa pessoa para jantar em sua casa, conhecê-la melhor e convidá-la para ir à igreja? Você tem planejado, ou sinceramente está deixando que tudo aconteça de maneira espontânea? São muito poucas as coisas que acontecem de forma espontânea. Você precisa ter um plano:

- Um plano para testemunhar.
- Um plano para ler a Bíblia.
- Um plano para orar.

Vamos refletir...

Para que qualquer uma dessas coisas seja eficaz e constante em sua vida, você precisa planejá-la.

Quais são seus planos? São somente sonhos que você constrói e pede a Deus que abençoe ou são planos que procedem do Senhor? Como você reconhece a diferença entre uma e outra coisa?

Se os seus planos procedem do Senhor, vão ser suficientemente grandes para que ele caiba neles.

Alguém disse: "Não faça planos pequenos, porque esses planos não têm o poder necessário para mover a alma dos homens". Os pensamentos grandes atraem grandes pensadores; os sonhos pequenos atraem pequenos pensadores. Que tipo de pensador você é?

Quaisquer que sejam os seus planos, torne-os grandes o suficiente para

> Se os seus planos procedem do Senhor, vão ser suficientemente grandes para que ele caiba neles.

que possam mostrar Deus ao mundo. Que sua vida grite a todos que a vejam: "Deus é grande!".

Se você está gastando mais tempo e energia, preocupando-se com os fracassos mais do que planejando para o êxito, está desperdiçando ambos.

Pai celestial, pedimos-te que levemos nossa vida a sério e que possamos nos dar conta das necessidades, como tu disseste, para que vivamos com um senso correto de responsabilidade, não como os homens que desconhecem o significado da vida, mas como as pessoas que de fato o conhecem. Senhor, ajuda-nos a fazer o melhor uso possível de nosso tempo. Dá-nos um coração que se agarre com firmeza ao que sabemos que é tua vontade. Senhor, ajuda-nos a pensar com cuidado no sentido que nossa vida toma e meditar no caminho pelo qual seguimos. Ajuda-nos a reconhecer as oportunidades que tu pões diante de nós e a estar prontos para quando elas se apresentarem a nós. Ajuda-nos a fixar metas, marcar datas limites, prever os problemas, calcular o custo e aplicar à nossa vida esses seis princípios de planejamento. Em nome de Jesus. Amém.

Os planos de um líder

GUIA PARA APLICAÇÃO DO PRINCÍPIO 3

Os planos de um líder

Aplicando os propósitos de Deus

Comunhão – Como Deus pode usar outros cristãos para ajudá-lo em seu plano?

- Você faz parte de um grupo de crescimento ou célula ou tem um amigo de confiança que pode ajudá-lo a revisar suas metas e seus prazos?
- Peça a essa pessoa que o lembre de sua responsabilidade ao planejar e executar.

Discipulado – Liderar como Jesus significa aprender seu estilo de administração.

- Estude os versículos deste capítulo para descobrir os planos de Deus para os líderes. Você segue esses planos?
- O que você pode fazer agora para aprender mais sobre Jesus e como se parecer mais com ele?
- Como este capítulo o ajudou para crescer como discípulo de Cristo?
- Antes da próxima lição, releia João 17 e examine o padrão que Jesus estabeleceu para a liderança.

Ministério – Conhecer as necessidades do Corpo de Cristo implica um planejamento cuidadoso para não desperdiçarmos nossos recursos.

- De que maneira Deus quer usá-lo para servir outros cristãos?
- Se você já exerce liderança, que planejamento suas funções requerem?
- Que princípios de Neemias você pode aplicar para exercer um ministério mais eficaz para o Senhor? Escolha dar um passo adiante em seu trabalho.

Evangelismo – Os líderes são observados por outros, cristãos e não cristãos.

- Em sua função de líder, como você se assegura de refletir Cristo para aqueles que estão sob sua liderança?
- Há alguma estratégia que você pode estudar ou o exemplo de algum líder que você pode seguir?
- Como o planejamento o ajuda a responder diante das crises e das críticas de rejeição?
- Medite a respeito, faça um plano e prepare-se para manejar as crises.

Adoração – Se queremos refletir Deus para os que nos rodeiam, devemos passar tempo na presença do Senhor.

- Como Deus pode usar um culto, um estudo bíblico, um concerto cristão para fortalecer suas aptidões para a liderança?
- Você separa um tempo diário para estar a sós com o Senhor?
- Momentos de paz são uma grande maneira de recarregar as suas baterias espirituais. Se você ainda não os tem, é tempo de separar um espaço em sua agenda para isso. Faça de Deus sua prioridade e você verá o que ele faz com seus planos.

PONTOS PARA REFLEXÃO

Qual a importância que o planejamento teve para você no passado? De que forma este capítulo o ajudou a entender a necessidade de planejar seus projetos antes de iniciá-los? Deixe de lado seu projeto por um momento e responda às seguintes perguntas:

- Você pode determinar exemplos de projetos pobremente concebidos na história ou na atualidade?
- Qual foi o resultado desses projetos?
- O que teria acontecido se tivesse sido usado um pouco de prevenção e estratégia?

Agora que você sabe que Deus escolheu você para liderar outros, ore por seu papel de líder e para conhecer a importância do planejamento. No próximo capítulo, veremos como motivar outros. Vamos ver como envolver a sua equipe nos planos que Deus revela a você!

CAPÍTULO 4

Como um líder motiva outros

O sucesso nunca é um espetáculo de um homem só. Neemias sabia que seu projeto de reconstrução dos muros necessitaria de uma equipe de pessoas consagradas e trabalhadoras que compartilhassem sua visão. Quando chegou a Jerusalém, as pessoas com as quais se encontrou sentiam-se derrotadas e apáticas, e viviam em meio aos escombros. Nos últimos noventa anos, houve duas tentativas de reconstruir os muros, mas sem sucesso. O povo perdeu toda a segurança. Eles concluíram: "Não é possível!".

Neemias chegou ao lugar, e em questão de dias havia conseguido o apoio de toda a cidade. Formou equipes, mobilizou-as e conseguiu que o muro estivesse construído cinquenta e dois dias depois. Como obteve o sucesso onde outros haviam fracassado? Por acaso ele era um homem que fazia milagres? Não, ele era apenas um grande líder. Compreendia os princípios da motivação.

Ele sabia que ia ter de trabalhar para voltar a animar a população da cidade, e ele conseguiu. Os princípios que ele aplicou funcionarão também para você quando precisar que as pessoas se sintam entusiasmadas diante de algo novo. Se o promovem a outro posto, se precisa fazer que as pessoas colaborem com você em algo, se precisa vender uma ideia, você tem de introduzir mudanças; cada vez que precisar fazer andar um projeto, lembre-se de Neemias.

Como um líder motiva outras pessoas? Veja como Neemias fazia isso.

1. Um líder espera oposição

Sambalate, o horonita, e Tobias, o oficial amonita, ficaram muito irritados quando viram que havia gente interessada no bem dos israelitas.[1]

[1] Neemias 2.10.

No momento em que você disser: "Vamos fazer algo", alguém vai se levantar e dizer: "Não vamos fazer nada". Quando o povo de Deus se levanta e diz: "Vamos edificar", Satanás diz: "Vamos nos levantar e opor".

As pessoas têm resistência natural a mudanças. Elas não gostam. Querem manter o *status quo*, expressão latina que talvez signifique "a confusão na qual estamos envolvidos". As pessoas são resistentes a mudanças por várias razões. Para favorecer as mudanças necessárias, os líderes averiguam quais são as razões e as enfrentam.

Sambalate, o governador de Samaria, e Tobias, o líder dos amonitas, ouviram dizer que Neemias vinha para reconstruir os muros. Neemias nem sequer havia chegado a Jerusalém e já havia oposição contra o que ele ia fazer. Não estamos seguros da forma pela qual Neemias soube, mas é provável que tenha enviado exploradores adiante dele, a fim de que descobrissem possíveis problemas.

> Mas permanecerei em Éfeso até o Pentecoste, porque se abriu para mim uma porta ampla e promissora; e há muitos adversários.[2]

Não há oportunidade sem oposição.

Quando os seus planos exigem que seu povo mude para produzir mudanças, espere oposição.

2. Um líder espera o momento oportuno

> Cheguei a Jerusalém e, depois de três dias de permanência ali [...].[3]

O momento é tudo. Alguma vez você viu morrer uma boa ideia porque não era a hora de colocá-la em prática? O tempo muda tudo. Neemias sabia que isso também se aplicava à motivação das pessoas.

> Não há oportunidade sem oposição.

Depois de chegar a Jerusalém, esperou três dias antes de começar. Não entrou na cidade cavalgando sobre um cavalo branco com bandeiras hasteadas e bandas militares tocando. Não proclamou: "Aqui estou para salvar a situação. E agora, vamos trabalhar!". Não saiu correndo à casa de ferragens

[2] 1Coríntios 16.8,9.
[3] Neemias 2.11.

do lugar para conseguir as provisões. Nem sequer anunciou o motivo da sua vinda. Seu diário diz que durante três dias não fez nada.

O que aconteceu durante aqueles três dias? Neemias não fez nada a respeito de seus planos, mas sabemos que estava fazendo alguma coisa.

O mais provável é que estivesse descansando, recuperando-se da longa viagem pelo deserto. Uma viagem assim esgotaria qualquer um. Nunca tome uma decisão de importância quando você está cansado! Possivelmente, decidirá erradamente. A fadiga prejudica nossos pontos de vista.

Sabemos que Neemias era um homem de oração, de modo que é provável que tenha passado momentos em oração. O mais provável é que também estivesse fazendo planos, revendo sua estratégia.

Sem dúvida, estava também despertando curiosidade. Imagine o que as pessoas do lugar pensaram: aqui vem esta figura, com uma escolta do rei, e entra cavalgando em uma cidade derrotada e desalentada. Então vai para a casa de seus parentes, e durante os

> Nunca tome uma decisão de importância quando você está cansado!

três dias seguintes... nada. Será que isso causou curiosidade? Você acha que as autoridades do lugar quiseram saber o que aquele sujeito trazia em suas mãos?

Durante três dias, as hipóteses iam aumentando. Ao terceiro dia, todos tinham ouvido falar de Neemias na cidade. O que você acha que aconteceu quando, finalmente, ele convocou aquela conferência de imprensa? As pessoas estavam prontas para escutar seus planos.

[...] tempo de rasgar e tempo de costurar, tempo de calar e tempo de falar [...].[4]

Porquanto há uma hora certa e também uma maneira certa de agir para cada situação.[5]

Se o que você está pensando em fazer produzirá mudanças na vida ou na situação dos demais, é essencial que espere o momento oportuno. Jesus tinha um profundo senso de oportunidade. Durante sua jornada até a cruz, muitas vezes ele disse: "Não é hora... ainda não chegou meu tempo".

---

[4] Eclesiastes 3.7.
[5] Eclesiastes 8.6.

3. Um líder avalia a situação real

[...] saí de noite com alguns dos meus amigos. Eu não havia contado a ninguém o que o meu Deus havia posto em meu coração que eu fizesse por Jerusalém. Não levava nenhum outro animal além daquele em que eu estava montado. De noite saí pela porta do Vale na direção da fonte do Dragão e da porta do Esterco, examinando o muro de Jerusalém que havia sido derrubado e suas portas, que haviam sido destruídas pelo fogo.[6]

Essa é a cavalgada da meia-noite de Neemias, como a famosa cavalgada da meia-noite de Paul Revere. Em lugar de advertir as pessoas de que se aproximava uma invasão inimiga, que para Jerusalém não era um perigo iminente, Neemias percorre os muros da cidade e os inspeciona. No meio da noite, com a única ajuda de um pequeno grupo, sai para inspecionar pessoalmente os danos. Diferentemente de Paul Revere, Neemias não quer chamar a atenção.

Todo bom líder é capaz de compreender o que Neemias estava fazendo. Estava realizando sua inspeção prévia. Estava comprovando o contexto da situação. Este é o aspecto da liderança do qual nunca ouvimos falar: é a parte solitária do trabalho. A preparação, a comprovação de dados e a investigação não têm nada de encantador nem de emocionante. Sem elas, porém, o plano está condenado ao fracasso.

É possível que, já a essa altura, Neemias estivesse se sentindo desanimado. Ao examinar o problema e ver como era grande, deve ter pensado: "Isto é muito pior do que eu imaginava! Que vou fazer? Nunca tive de enfrentar um problema assim em toda a minha vida".

Os oficiais não sabiam aonde eu tinha ido ou o que eu estava fazendo, pois até então eu não tinha dito nada aos judeus, aos sacerdotes, aos nobres, aos oficiais e aos outros que iriam realizar a obra.[7]

Por que Neemias manteve tanto segredo com respeito a essa inspeção? Não queria que detivessem os seus planos antes mesmo de começar. Sabia que, para que aceitassem seus planos, necessitava estar armado

[6] Neemias 2.12,13.
[7] Neemias 2.16.

com dados preciosos. Você já notou alguma vez como é fácil matar uma boa ideia? As pessoas negativistas tendem muito mais a expressar suas ideias do que as pessoas otimistas. Como Neemias não contava ainda com todos os dados, começou a trabalhar em silêncio, reunindo informação antes de anunciar o que ia fazer.

> Os grandes líderes protegem seus planos de uma morte prematura.

Os grandes líderes protegem seus planos de uma morte prematura.

Compre a verdade e não abra mão dela, nem tampouco da sabedoria, da disciplina e do discernimento.[8]

Quem responde antes de ouvir comete insensatez e passa vergonha.[9]

O inexperiente acredita em qualquer coisa, mas o homem prudente vê bem onde pisa.[10]

Os bons líderes fazem a própria investigação.

Antes de começar a Igreja Saddleback, passei cerca de seis meses estudando o local, reunindo estatísticas, escrevendo, falando com as pessoas e recolhendo informações. Aprendi de memória ruas, recolhi estatísticas do censo e escrevi para outros pastores da região. Quando finalmente saí para registrar e inspecionar a região, não disse a ninguém o que estava fazendo. Estava realizando meu trabalho prévio de preparação.

> Os bons líderes fazem a própria investigação.

Hoje em dia nós exigimos dos pastores que façam investigações do tipo demográfico na região antes de começar uma igreja filial. É importante ter nas mãos esses dados antes de começar todo projeto que transforme vidas.

Neemias compreendeu que enfrentava oposição, criou curiosidade e reuniu todos os dados. Finalmente, estava pronto para tornar públicos os seus planos e começar a formar sua equipe de colaboradores. Seu próximo desafio era fazer que os israelitas se sentissem entusiasmados com o que ele fora fazer ali.

---

[8] Provérbios 23.23.
[9] Provérbios 18.13.
[10] Provérbios 14.15.

4. Um líder se identifica com seu povo

> Então eu lhes disse: Vejam a situação terrível em que estamos: Jerusalém está em ruínas, e suas portas foram destruídas pelo fogo. Venham, vamos reconstruir os muros de Jerusalém, para que não fiquemos mais nesta situação humilhante. Também lhes contei como Deus tinha sido bondoso comigo e o que o rei me tinha dito. Eles responderam: "Sim, vamos começar a reconstrução". E se encheram de coragem para a realização desse bom projeto.[11]

Neemias não se apresentou como o estranho que havia aparecido no momento exato para resgatar Jerusalém de seus tristes fracassos do passado. Não apresentou uma mensagem negativa, nem culpou ninguém. Quando alguém lança a culpa sobre os outros, diminui a motivação deles. O que Neemias fez foi aceitar a culpa. Identificou-se com a frustração e animou-se a fazer uma avaliação sincera do problema. Disse: "Eu sou um de vocês, e este problema é nosso".

Os bons líderes se identificam com seu povo. As pessoas se sentem motivadas a trabalhar para alguém que divide sua carga, e tem uma visão para alcançar sua meta. Todos os pais descobrem que os filhos respondem melhor quando sentem que são compreendidos e quando os pais se identificam com seus problemas.

> Quando alguém lança a culpa sobre os outros, diminui a motivação deles.

Os grandes líderes compreendem isto:

As melhores ideias não são minhas, nem suas; são nossas.

5. Um líder não esconde a seriedade do problema

Neemias foi sincero em sua mensagem. Ele disse: "Tenho umas ideias, mas primeiro vocês precisam saber realmente como a situação está ruim". Não tratou de atenuar o problema. O que ele fez foi dramatizá-lo. Ao ressaltar quanto a situação estava séria, apelou para suas emoções.

Por que ele usou essa tática? Ele sabia que eles viviam anos daquela forma, e, enquanto não lhes importasse o suficiente, não mudariam nada.

---

[11] Neemias 2.17,18.

Você já observou que, quando alguém vive durante muito tempo uma condição ruim, começa a ignorá-la? Quando alguém vive determinada situação por tempo suficiente, por pior que seja, pode tornar-se apático com respeito a ela. Neemias, ao voltar a centrar a atenção do povo no problema que estava vivendo por décadas, fê-los enfrentar a realidade.

Depois que o líder enfrenta a realidade, necessita que sua equipe a enfrente também. As mudanças não se produzirão enquanto não nos sentirmos descontentes com o *status quo*. Os líderes criam o descontentamento. Eles sabem que é a única forma de produzir a mudança, seja no lar, seja na escola, no negócio ou na sociedade. Quando as pessoas se conformam com o que há, nada muda.

> As melhores ideias não são minhas, nem suas; são nossas.

Quando você cria descontentamento, saiba que estará procurando críticas. Todos os que mexem com as coisas buscam problemas. Isso, porém, é a marca de um líder.

Neemias usou dois pontos de motivação.

Em primeiro lugar, apelou para a autoestima. Ele disse: "Somos o povo de Deus. Não deveríamos estar vivendo no meio da cidade destruída. No entanto, olhem ao redor! A cidade está em ruínas. Os muros estão caídos. O lugar é um desastre e é só um monte de escombros. Isso é vergonhoso. Nós podemos fazer melhor que isso".

Aquelas pessoas devem ter sentido Neemias como um sopro de ar fresco. Aquele líder era diferente dos outros. Não estava envolvido com a própria agenda, mas preocupava-se com eles. Compreendia o problema; sabia que estavam desmoralizados. Sabia o que precisava fazer para restaurar o nível de autoestima. E sabia a maneira de fazer que eles o quisessem alcançar também.

Em um nível mais profundo, apelou para a preocupação deles com a glória de Deus. Aquela situação também era vergonhosa para o Senhor. Os judeus eram o povo de Deus, e agora o mundo inteiro ria deles. "Dizem que adoram o Deus verdadeiro", diziam outros zombando, "mas nem sequer podem reconstruir a própria cidade. Como é possível que esse Deus seja grande, quando eles estão vivendo entre escombros e nem sequer podem reconstruir os muros?".

A situação existente em Jerusalém era vergonhosa para Deus. Para os judeus, que proclamavam crer em um Deus todo-poderoso, era um testemunho muito pobre. Talvez, pela primeira vez, Neemias sinalizou que o modo pelo qual eles estavam vivendo era uma infâmia para o nome de Deus. Ele disse o que os outros observavam a seu respeito. Como importaria para eles o Deus dos judeus, quando aos próprios judeus não lhes importava como representavam a seu Deus?

Ao dramatizar o problema, Neemias apelou para uns motivadores internos: a autoestima e a glória de Deus. Poderia ter utilizado prêmios e incentivos, mas era suficientemente apto para saber que os motivadores externos só funcionam com crianças. Poderia ter oferecido umas férias no mar Morto com todas as despesas pagas, mas sabia como a maioria iria reagir. Ele sabia que precisava apelar para o senso judeu de orgulho e honra, a fim de realizar aquele formidável projeto que embelezaria a comunidade.

> A maior motivação da vida não é a externa nem a interna, mas a eterna.

Aqui está outro princípio que Neemias compreendia e que você também precisa compreender:

A maior motivação da vida não é a externa nem a interna, mas a eterna.

Neemias convocou as tropas com este grito de guerra: "Pela glória de Deus, reconstruamos os muros! Pelo Reino de Deus e a glória de seu povo!".

Com aquelas palavras, inspirou sua equipe para que realizasse o que até então lhes era impossível. Tudo o que faltava era a motivação correta.

6. Um líder exige uma resposta específica

Neemias sabia que as coisas não funcionariam se ele se limitasse a convocar uma grande reunião, encorajasse todo mundo, e depois os enviasse para suas casas. O que proclamou foi um chamado à ação. "Vamos reconstruir os muros!", disse-lhes, e pediu sua ajuda. Ele lhes pediu uma resposta específica.

Ele sabia o que o esperava. Não se enganava com um sonho impossível. Era um homem realista, mas, ao mesmo tempo, otimista. Esse é o equilíbrio que todo bom líder precisa ter.

Depois de contemplar os montes de escombros e as atitudes de apatia que se tornaram realidade diária em Jerusalém, Neemias poderia ter-se dado por vencido e retornado à Babilônia. Entretanto, ele foi além da realidade para contemplar a possibilidade. Viu o que era Jerusalém, mas também viu o que a cidade poderia chegar a ser. Essa é outra das características de todo grande líder: é capaz de inspirar a outros a grandeza. Neemias era da classe de líderes. Você também pode ser.

Os grandes líderes veem tanto o real como o ideal.

Veem o que é, mas também veem o que pode vir a ser. Uma pessoa que só vê o que pode vir a ser, e não o que é, não é líder, mas um visionário. Há uma grande diferença. Uma pessoa que vê o que é, mas não o que poderia vir a ser, não é um líder, mas um contador. Para ser um grande líder, você precisa ver tanto o real como o possível. Quando uma pessoa encarna em si mesma essas duas qualidades, o produto final é uma grande liderança.

> Os grandes líderes veem tanto o real como o ideal.

Os líderes que veem tanto o real como o ideal sabem que para alcançar o ideal necessitam de ajuda. E não têm medo de pedir essa ajuda. A maioria das pessoas não considera essa possibilidade. Cometemos o erro de pensar que ou ninguém quer nos ajudar ou somos tão extraordinários que não necessitamos de ajuda. A liderança que produz mudanças permanentes requer um trabalho em equipe.

> A liderança que produz mudanças permanentes requer um trabalho em equipe.

Neemias viu que os muros que rodeavam Jerusalém não seriam reconstruídos enquanto não houvesse alguém que se levantasse e dissesse: "Se queremos restaurar nossa cidade e a reputação de Deus, vamos ter de nos sacrificar. Fazer isso vai exigir tempo, dinheiro, esforços e energias". Os líderes pedem uma resposta específica.

7. Um líder encoraja com seu testemunho pessoal

Neemias relatou aos israelitas como Deus o havia chamado com o mesmo propósito de que reconstruíssem os muros. Ele lhes falou de quando havia ouvido as notícias que chegavam de Jerusalém, de como havia clamado a Deus, da preocupação que sentia pela cidade e de como as circunstâncias confirmaram esse chamado.

"Orei e orei", disse-lhes, "e um dia Deus me falou: 'Por que você não se converte na resposta?' ". Então, a preocupação se converteu em visão. "Está bem, Senhor, eu vou fazer", respondi-lhe. Na realidade, a ideia foi de Deus. "Então acudi ao rei, e o rei me disse que sim. Até me deu uma guarda da cavalaria e me falou que pagaria tudo." Deus confirmou o chamado.

Se alguém se aproxima para dizer: "Deus me mandou fazer isto", é adequado que lhe pergunte: "Existe alguém que tenha confirmado esse chamado? Está seguro de que não é uma ideia sua? Há algum sinal que o confirme?".

Quando Deus me deu a ideia de organizar a Igreja Saddleback, reconheci que não era uma ocorrência minha. Eu me sentia bem onde estava servindo a Deus, em Fort Worth, Texas. Então, ele me pôs no coração que eu fosse para a Califórnia, para começar uma igreja. Depois confirmou seu chamado por meio de uma série de milagres. Nunca serei um gênio, mas não tenho dúvida alguma de que Deus me chamou para começar a Igreja Saddleback. E isso me faz sentir um temor reverencial. Quando é Deus que diz para realizarmos o que temos em nosso coração, ele mesmo o confirma e não nos deixa com dúvidas.

> Também lhes contei como Deus tinha sido bondoso comigo e o que o rei me tinha dito. Eles responderam: "Sim, vamos começar a reconstrução". E se encheram de coragem para a realização desse bom projeto.[12]

Quando Neemias explicou como Deus o havia chamado, e depois como as circunstâncias haviam confirmado esse chamado, o povo se entusiasmou. Durante noventa anos, Jerusalém estivera envolvida em uma rotina sem esperança. Agora Neemias aparecia com uma mensagem fresca e evidências dignas de crédito: "É Deus quem me pôs aqui para que fizesse isto", disse-lhes, "e temos a autorização do rei. O mesmo rei que lhes disse 'não' no passado agora está disposto, até mesmo, a pagar a obra". Havia captado a atenção deles.

A visão havia sido transferida. A princípio, Neemias a guardou com cuidado e não disse nada a ninguém. Uma vez que havia terminado sua investigação sobre a situação, quando se apresentou o momento

---

[12] Neemias 2.18.

oportuno, começou a falar às pessoas. Primeiro exagerou a situação para despertá-los do espanto em que estiveram envolvidos durante aqueles anos. Pediu-lhes que respondes-sem, ajudando a reconstruir os muros. Deu-lhes ânimo contando sua história pessoal. Quando o povo viu a mão de Deus naquilo, a visão deixou de perten-cer somente a Neemias. Agora pertencia a todo o povo. O segredo havia sido revelado.

> As pessoas se sentem mais inclinadas a seguir pessoas que a seguir programas.

Neemias compreendia que as pessoas se sentem mais inclinadas a seguir pessoas do que a seguir programas. Por isso, usou seu testemunho pessoal para motivá-los. Compreendia o poder da experiência pessoal. Os povos seguem aos líderes.

Tornem-se meus imitadores, como eu o sou de Cristo.[13]

Este é um momento excelente para que você se faça a pergunta: Por que razão alguém me seguiria como líder?

A resposta é: "As pessoas me seguirão como líder quando puderem ver a mão de Deus sobre minha vida".

Esta é a única prova real da liderança: É evidente o Espírito de Deus em sua vida? Se não é, você não é uma pessoa a ser seguida por outros. A liderança não é questão de estudos e talentos, mas das evidências do Espírito de Deus na vida da pessoa.

Deus tem colocado a mão sobre sua vida?

8. Um líder responde à oposição com rapidez e firmeza

Quando, porém, Sambalate, o horonita, Tobias, o oficial amonita, e Gesém, o árabe, souberam disso, zombaram de nós, desprezaram-nos e pergun-taram: "O que vocês estão fazendo? Estão se rebelando contra o rei?".[14]

A hostilidade diante do projeto de Neemias estava crescendo. No princípio, tratava-se somente de Sambalate e Tobias. Agora Gesém os acompanhava. É um esquema típico. A hostilidade cresce à medida que o projeto avança.

[13]   1Coríntios 11.1.
[14]   Neemias 2.19.

Mais adiante, descobriremos que as hostilidades lhe vinham de seis frentes distintas. Neemias enfrentou oposição de todos os lados!

Primeiro, "zombaram de nós, desprezaram-nos e perguntaram". Zombaram quando ouviram falar do plano. Os muros estiveram em ruínas por noventa anos. Por acaso o construiriam agora? Para seus inimigos, tudo aquilo era uma gozação.

Quando a oposição não deteve o projeto, eles o acusaram de rebelião contra o rei. Essa tática havia funcionado em uma ocasião e deteve a edificação dos muros, portanto, por que não utilizá-la novamente? Se o rei chegava a crer que estava perdendo uma fonte de renda, era certo que deteria o projeto. Agora, entretanto, não funcionou, porque Neemias estava na cena e não puderam tirá-lo da situação.

> Eu lhes respondi: O Deus dos céus fará que sejamos bem-sucedidos. Nós, os seus servos, começaremos a reconstrução, mas, no que lhes diz respeito, vocês não têm parte nem direito legal sobre Jerusalém, e em sua história não há nada de memorável que favoreça vocês![15]

Neemias negou-se a discutir. Sabia que a reconstrução dos muros era ideia de Deus, e, portanto, limitou-se a declarar isso. Ele disse que o projeto procedia de Deus. E uma vez que aquilo era ideia de Deus, tudo o que o povo precisava fazer era confiar que Deus lhes faria prosperar. Quando você se encontrar em uma situação parecida, e souber que Deus está do seu lado, o mais sábio é não discutir com seus opositores.

O que Neemias fez foi revelar os motivos egoístas de seus inimigos. Compreendia que, se Jerusalém fosse reconstruída, esse fato reduziria o tamanho do reino deles, assim era lógico que se opusessem ao projeto. Revelou os motivos deles. Quando o acusaram de se rebelar contra o rei, Neemias limitou-se a pegar as cartas que tinha, e que estavam assinadas pelo próprio Artaxerxes. Isso os calou... pelo menos por um tempo.

O fato de ver Neemias defendendo sua causa fez que o moral dos judeus crescesse enormemente. Depois de anos de derrota, finalmente havia alguém que não tinha medo de defendê-los. Neemias não teve medo de dizer a seus inimigos: "Vocês não têm direito histórico algum sobre esta cidade".

---

[15] Neemias 2.20.

Meus irmãos, não se admirem se o mundo os odeia.[16]

Se você começa a trabalhar para Deus, pode ter certeza de que sofrerá oposição. Quando outros ridicularizarem você por sua posição a favor de Deus, não se surpreenda. No mesmo momento em que fizer uma declaração pública da sua fé, você se converterá em um alvo para os que não compartilham dela. Isto é certo na vida, o que quer que façamos, haverá sempre alguém que não estará de acordo conosco. A única forma de evitar críticas na vida é não fazer nada, não ser ninguém e não dizer nada. Uma vez que você se decidir por viver para Jesus Cristo, haverá alguém, em algum lugar, que vai rir de você. Pode ter certeza disso; deixe que riam.

As pessoas vão colocar em julgamento sua motivação, como fizeram com Neemias, ao desafiá-lo dizendo: "Por acaso você está tratando de construir seu império? Você está querendo alimentar seu ego, querendo fazer o que nenhum outro fez em noventa anos?". Tudo isso faz parte do preço da liderança.

Quando compramos o terreno para a Igreja Saddleback, começaram a surgir rumores por todo o vale Saddleback, onde iríamos nos localizar. "A igreja de Saddleback que está lá em cima", sussurravam as pessoas, "acabou de comprar mais de 50 hectares. Quem eles pensam que são?". O assunto nunca teve a ver com arrogância. A pergunta não era sobre "quem nós acreditávamos que éramos", mas sobre "quem cremos que Deus é".

> No mesmo momento em que fizer uma declaração pública da sua fé, você se converterá em um alvo para os que não compartilham dela.

O tamanho de seu Deus determina o tamanho de suas metas. Todo mundo necessita de Jesus. Quando Deus nos dá uma visão, não podemos colocar limites ao que ele quer fazer com ela. A visão é de Deus, não é sua nem minha. Colocar limites seria o cúmulo da arrogância. Sinceramente, não temos direito algum de fazer isso.

Você já saiu alguma vez para empinar pipa num dia de vento? Observe que a pipa vai subindo contra o vento e não a favor dele. São essas correntes de ar que se chocam contra ela e fazem que suba cada vez mais alto. Lembre-se das pessoas que se opõem ao sonho que Deus lhe deu.

---

[16] 1João 3.13.

Pense em uma pequena pipa e responda a seus opositores com rapidez e firmeza.

Você é um subgerente que sonha ascender a uma posição executiva? Há uma forma correta de enfrentar as responsabilidades, e outra incorreta. Quando chegar o dia em que você estiver acima de seus companheiros, se você agir como se o tempo todo você merecesse, haverá pessoas que se oporão. "Quem ele pensa que é?", sussurrarão em suas costas. Aprenda a lição da resposta diplomática que Neemias deu diante de sua repentina ascensão.

> O tamanho de seu Deus determina o tamanho de suas metas.

Como ajudante de Artaxerxes, Neemias se encontrava num papel de gerência de segunda. Então, foi promovido de repente a líder do projeto de reconstrução dos muros. A muitas pessoas custaria uma mudança assim. O aumento repentino de poder é demasiado para eles. Você conhece alguém que passou por uma situação como essa?

Neemias nos mostra a forma de manejar com delicadeza a transição entre postos de trabalho, o poder e as hostilidades. Durante noventa anos, as pessoas estiveram dizendo: "Não é possível fazer. Estes muros estão em ruínas, e assim vão continuar. O trabalho é grande demais". Agora aparece em cena Neemias, pronto para pôr mãos à obra. Transforma uma comunidade hostil e apática em uma equipe entusiasmada, pronta para começar. E faz isso em três dias.

Com base em seu exemplo, vamos rever os passos que deu, de modo que você possa aprender a ser um líder como ele.

Vamos refletir...

- **Tenha certeza de que lhe farão oposição.** As oportunidades sem oposição não existem. Por mais excelente que seja sua ideia, você deve esperar que alguém tente desacreditá-la. Você precisa estar consciente disso, antes de começar, e se afastar do tipo de angústia que pode levá-lo a pôr tudo a perder, mesmo sem ter começado. Se Deus está nos seus planos, ele vai enfrentar essas oposições.
- **Espere o momento oportuno.** Quando tiver uma grande ideia, não aja de forma precipitada contando a todos os seus conhecidos.

Mantenha em segredo por um tempo e espere o momento adequado. Assegure-se de estar descansado. Assegure-se de que dedicou tempo à oração e ao planejamento. Há um momento oportuno para cada coisa.

- **Enfrente a realidade.** Quando propuser algo a alguém, não se apresente sem que tenha todos os dados em mãos. Quando lhe disserem: "E isto, o que é?", não vai ser agradável para você ter de responder: "Não tinha pensado nisto". Vá armado com dados e cifras para respaldar aquilo de que quer falar. Relembre o que diz a Palavra: "O inexperiente acredita em qualquer coisa, mas o homem prudente vê bem onde pisa".[17] Os bons líderes investigam as coisas por sua conta.

- **Identifique-se com as pessoas.** O líder que diz: "Eu estou aqui para dizer o que tem de ser feito" não conseguirá ganhar o respeito das pessoas. Neemias não chegou empurrando e dizendo: "Vim para reconstruir os muros. Se quiserem me consultar, estarei em meu escritório". Em lugar disso, o que disse foi: "Temos um problema, e isto é o que necessitamos fazer com ele. Reconstruamos". Um grande líder compreende o poder que tem a identificação, a apropriação e o trabalho de equipe.

- **Dramatize o problema.** Neemias apresentou uma imagem clara do problema, com o fim de acentuar sua gravidade. Desde o princípio, disse que o trabalho ia ser duro. Em todo sentido, foi sincero com o povo quanto ao que os esperava. Ao mesmo tempo, reconheceu o valor do trabalho ao apelar a seu sentido de orgulho como povo escolhido de Deus, e ao seu desejo natural de glorificar a Deus. Esse era o maior de todos os motivos. Quando enfrentar dificuldades, não guarde só para você. Comunique suas necessidades com a equipe de tal modo que eles se sintam inspirados a ajudá-lo. Os grandes líderes inspiram a trabalhar em equipe.

> Os bons líderes investigam as coisas por sua conta.

- **Peça uma resposta específica.** Neemias disse com todo o realismo: "Preciso de ajuda. Sozinho não posso fazer isso". Em seu otimismo,

---

[17] Provérbios 14.15.

também lhes disse: "Sei que podemos conseguir, se trabalharmos juntos. Vamos reconstruir os muros!". Deixe que as pessoas conheçam, com exatidão, o que você precisa que façam, e depois encoraje-as, assegurando-lhes que, com a ajuda de Deus, podem conseguir.

> Os grandes líderes inspiram a trabalhar em equipe.

- **Encoraje com seu testemunho pessoal.** As pessoas respondem de maneira positiva aos testemunhos da obra de Deus em nossa vida, como aconteceu com Neemias. Ele falou da bênção de Deus, da visão e da confirmação por meio das circunstâncias, e as pessoas creram. Sua fé foi edificada e desafiada pelo que ouviram. Se, para Deus, era tão importante ver os muros reconstruídos, como eles iriam negar-se a fazê-lo? Houve uma transferência de visão. Agora o sonho pertencia ao povo. Podiam ver a mão e o Espírito de Deus na vida de Neemias, e estavam prontos para segui-lo. Quais são as evidências de que a mão de Deus está sobre sua vida?
- **Responda com rapidez e firmeza aos opositores.** Neemias sabia que era inútil discutir. Como você age com os que se opõem a você? Se seus planos e sonhos vêm de Deus, a batalha também é dele.

Se você é líder, deve compreender que há planos que Deus tem para sua vida, e metas que quer alcançar por meio dela, e que há pessoas que não vão gostar de sabê-lo. Esteja certo disso. Haverá alguém, em algum lugar, que não estará de acordo com a direção pela qual Deus o está levando. Será necessário que você se posicione.

Nós, cristãos, precisamos ser realistas quanto à popularidade da nossa decisão de seguir a Cristo. Nem todo mundo vai reagir de forma positiva diante do que temos decidido fazer. Na verdade, é possível que haja aqueles que se oponham com todas as suas forças. Tanto você quanto eu precisamos estar preparados para as críticas e para sermos ridicularizados. Você está disposto a viver para Jesus Cristo, sem se importar com o que os outros pensam?

> Será necessário que você se posicione.

Esse é o começo da liderança.

Pai, por meio desses oito passos, me mostraste como um líder motiva e encoraja as pessoas durante as mudanças. Senhor, ao olhar ao nosso redor, vemos que em nossa vida, em nossa igreja, em nossa família, em nossa escola e em nosso mundo são necessárias muitas mudanças.

Ajuda-nos a estar preparados para quando chegar a oposição. Ajuda-nos a ser prudentes como serpentes, mas mansos como as pombas, e a estar dispostos a esperar o momento adequado. Lembre-nos de que precisamos recolher dados, prever os problemas e nos identificar com as pessoas, em lugar de atuar como se fôssemos superiores, como se tivéssemos sido chamados pessoalmente para mudar o mundo. Faze de nós líderes que digam: "Este problema é nosso".

Ajuda-nos a pedir coisas específicas e a não ter medo de pedir auxílio às pessoas. Ajuda-nos a viver com a tensão entre o real e o ideal e a obter um equilíbrio entre ambos, a fim de sermos eficazes para ti.

Sobretudo, peço-te pelos que estão lendo este livro, para que vivam de tal maneira que seja evidente que tua mão e teu Espírito estão sobre sua vida. Quando isso acontecer, estaremos prontos para viver. Que nossa vida seja um livro aberto. Que sejamos pessoas que caminham em tua presença com integridade, credibilidade e sinceridade. Que, ao virem nossa vida, as pessoas vejam que, embora não sejamos perfeitos, estamos nos esforçando ao máximo para viver para ti.

Pai, se há alguém entre nós que não pode dizer:" Tornem-se meus imitadores, como eu o sou de Cristo", ajuda-o a mudar agora mesmo. Dá-lhe o desejo de dizer: Eu quero ser assim. Quero ser uma pessoa que possa dizer: "Tornem-se meus imitadores, como eu o sou de Cristo".

Compreendemos que as pessoas nem sempre estarão de acordo com nossa posição a favor de Cristo, e não respeitarão nossos valores. Tu nos disseste que não era para nos surpreendermos se o mundo nos odiasse por tua causa. Ajuda-nos a dar-nos conta de que nossa recompensa é no céu; tu nos advertiste de que tivéssemos cuidado quando os homens falassem bem de nós. Ajuda-nos a nos preocupar mais em agradar a ti do que em agradar aos demais.

Pedimos-te isso em nome de Jesus. Amém.

GUIA PARA APLICAÇÃO DO PRINCÍPIO 4

Como um líder motiva outros

Aplicando os propósitos de Deus

Comunhão – Cumprir uma grande missão requer muitas mãos trabalhando juntas.

- Depois de ler este capítulo, que passos você pode dar para assegurar que o grupo que você lidera entende a visão e está pronto para "reconstruir a muralha"?
- Como você pode ajudá-lo a enfrentar os fatos e visualizar as possibilidades?

Discipulado – Os líderes que veem o futuro são visionários, os que veem o presente são realistas. Neemias pôde ver o real e a visão, o que era e o que poderia ser.

- Ainda que não seja sua natureza ser um realista-otimista, como você pode desenvolver essas qualidades?
- Escreva algumas ideias que Deus revelou a você e planeje colocá-las em prática durante esta semana.

Ministério – Conhecer as necessidades de nossos companheiros cristãos requer uma ação recíproca. Quando a mudança é necessária, os líderes devem confrontar seu grupo com os atos e as situações atuais.

- Como as pessoas veem o promotor de mudanças?
- Estude o exemplo de Neemias 2.17 e observe como Neemias motivou a mudança, apelando para a autoestima das pessoas e a sua preocupação com a glória de Deus.
- De que maneira você pode ser como Neemias em seu grupo, família, igreja ou comunidade?
- Anote enquanto ora e busca a direção de Deus. Submeta sua ação ao Senhor.

Evangelismo – Antes de nos tornarmos eficazes em alcançar o mundo para Cristo, precisamos saber que Cristo nos chamou para alcançá-lo.

Neemias orou e recebeu um encargo da parte do Senhor. Depois de orar por quatro meses e descobrir que sua preocupação persistia, deu-se conta de que havia sido chamado pelo Senhor para fazer algo a respeito disso.

- Há algo pelo que você está orando há muito tempo e em que ainda não viu nenhuma mudança?
- Talvez Deus esteja pedindo a você que se converta em um agente de mudança. Quem você conhece que precise do amor de Deus em sua vida?
- Como você pode se converter em um representante de Cristo para oferecer esse amor?

Adoração – Quando adoramos a Deus, enaltecemos o seu nome. Isso significa que estamos reafirmando e aproximando seu caráter aos outros por meio de nossa vida. Neemias se apresentou diante de uma comunidade que havia negado a provisão de Deus por décadas.

- Como podemos estar seguros de que fazemos o mesmo?
- Como líder, em que você pode ser como Neemias, encorajando outros a refletir a verdadeira e amada imagem de Deus?
- O que você pode fazer para comunicar que a adoração é uma atividade de tempo integral?

PONTOS PARA REFLEXÃO

Até aqui vimos Neemias orar, planejar e motivar as pessoas para a ação.

- Como você crê que ele fez isso? Você poderia dizer que Neemias é um administrador de projetos de sucesso?
- O que se sobressai aos seus olhos como qualidade número 1 de um líder?
- De que maneira você pode aplicar essa qualidade a seu estilo de liderança?

Agora Neemias está pronto para continuar. Como ele organiza seu projeto? Isso é o que descobriremos no próximo capítulo.

CAPÍTULO 5

Como um líder organiza um projeto

Mas tudo deve ser feito com decência e ordem.[1]

A motivação sem organização leva à frustração. Que princípios um líder deve seguir a fim de assegurar que tudo seja feito, como disse Paulo, "com decência e ordem"? Uma vez mais, Neemias nos entrega um esquema que podemos seguir.

1. Um líder simplifica

Neemias tinha um projeto enorme, mas para organizá-lo tinha um plano simples. Diferentemente de muitos líderes atuais, não recriou a organização, nem traçou gráficos complexos; tudo o que fez foi ver como as pessoas estavam agrupadas e organizou-as de acordo com esse agrupamento. Por meio do livro, o vemos criar equipes de sacerdotes, os homens de Jericó, os filhos de Hassenaá e os homens de Tecoa. Essas pessoas já estavam associadas entre si.

Se você não precisa de uma organização nova, não a crie. Faça tudo o que puder para trabalhar com o que já existe. Com demasiada frequência, os líderes novos se precipitam a mudar toda a organização, somente para que se pareça com a ideia que eles têm. Há um velho refrão que se aplica a isso: "Se algo não está rasgado, não o remendes".

> Se você não precisa uma organização nova, não a crie.

De todos os grupos humanos, o mais autêntico é a família. Neemias compreendia a fortaleza e o apoio que se encontram nas famílias. Por isso,

[1] 1Coríntios 14.40.

todas as vezes que era possível, colocava as pessoas em seus postos por famílias.

As organizações mais sólidas são as mais simples.

Olhe, por exemplo, os brinquedos das crianças. Os bons blocos feitos à moda antiga são basicamente inquebráveis. Os brinquedos mais complicados quebram tão logo se brinca. Isso também é certo no que diz respeito às organizações. Quanto mais complexas, mais se rompem. As organizações mais simples são as mais fortes.

2. Um líder seleciona uma equipe

Muitos líderes passam o tempo tratando de envolver os preguiçosos e os apáticos, em lugar de envolver os que querem trabalhar. Eu chamo a isso "dar com os burros n'água". Aprenda agora, e economize muitas horas de frustração: Trabalhe com os que querem trabalhar.

Neemias envolveu todos os habitantes da cidade na reconstrução dos muros. Os líderes religiosos abriam caminho, enquanto homens e mulheres, gente da cidade ou das zonas rurais, trabalhadores intelectuais ou manuais, levantavam os tijolos. Havia perfumistas, líderes do governo e líderes do mundo dos negócios. Todos estavam erguendo tijolos e fazendo a massa.

> As organizações mais sólidas são as mais simples.

Todos, ou melhor, menos um pequeno grupo...

> O trecho seguinte foi reparado pelos homens de Tecoa, mas os nobres dessa cidade não quiseram se juntar ao serviço, rejeitando a orientação de seus supervisores.[2]

É obvio que esses notáveis se julgavam bons demais para fazer aquele tipo de trabalho. Erguer tijolos era algo inferior para eles. Não se diz que desculpas deram, mas, aonde quer que você vá, encontrará pessoas assim... egoístas, presunçosas, preguiçosas, que se sentem boas demais para trabalhar.

Em todos os projetos, há duas classes de pessoas: os que trabalham e os que se esquivam do trabalho. A resposta de Neemias aos que estavam

---

[2] Neemias 3.5.

Como um líder organiza um projeto

se esquivando foi ignorá-los. Não perdeu tempo com eles. Em vez disso, concentrou seu tempo e suas energias nos que estavam dispostos a trabalhar e ansiosos por fazê-lo. Não perdeu o sono, nem se amargurou, nem perdeu tempo, tentando colocar no seu posto as pessoas que não queriam trabalhar. Se você é líder, não deve se preocupar com os que não querem se envolver. Trabalhe com os

> Em todos os projetos há duas classes de pessoas: os que trabalham e os que se esquivam do trabalho.

que querem. Estes são os que funcionam em equipe.

Quando comecei em Saddleback, ainda não havia aprendido a lição. Cada vez que planejávamos um projeto, uma reunião de trabalho ou um evento, eu ficava mais tempo desanimado com os que não estavam presentes do que feliz pelos que tinham chegado. Finalmente, Deus me mostrou que necessito sentir-me entusiasmado pelos que atendem, pelos que querem envolver-se. É preciso esquecer os demais. Eles são os que perdem. Isso não quer dizer que não se deva amar os que abandonam o trabalho... mas não lhes permita que o joguem para baixo.

Os líderes amam a todos, mas se movem com os que se movem.

Concentre-se nos que disserem: "Eu quero participar". Não perca tempo com os que inventam desculpas.

3. Um líder delega tarefas

Quando estiver organizando, reparta tarefas específicas. Divida o projeto de acordo com as tarefas a realizar e, depois, assinale as pessoas determinadas. O que você acha que teria acontecido se Neemias, após despertar o interesse pelo projeto, tivesse dito: "Vocês podem começar a trabalhar onde quiserem"? E se ele dissesse: "Vamos para aquele pedaço do muro, vamos trabalhar todos ali juntos, ao mesmo tempo"? Tudo teria sido uma confusão, um caos, os trabalhadores tropeçando uns nos outros... em lugar de ter um muro, o que se obteria seria um desastre.

Neemias caminhou ao redor de todo o muro e o dividiu com todo cuidado. É provável que usasse aquela cavalgada da meia-noite para dividi--lo mentalmente em seções. Quando você estiver organizando projetos, mantenha as coisas simples, trabalhe com os que querem trabalhar, e depois lhes dê atividades específicas. Delegue essas atividades.

A delegação é outro aspecto difícil da liderança. Pode ser duro soltar algo e confiá-lo a outros. Se, no entanto, pensarmos que Deus, o Deus do Universo, nos confia sua obra, talvez nos pareça um pouco mais fácil delegar a nossa. Esse fato é chave para o sucesso de qualquer projeto. Veja agora as tarefas que envolvem o trabalho de delegar:

- **Divida as grandes metas em tarefas pequenas**

Os grandes trabalhos podem parecer assustadores, mas, se você os divide em tarefas menores, tornam-se realizáveis. Neemias atacou o problema da construção dos muros — um trabalho tão grande que estava sendo postergado por noventa anos —, dividindo-o em seções menores.

A Igreja Saddleback começou com umas 12 pessoas. Eu transformei cada pessoa em um comitê de uma pessoa, cada uma com suas responsabilidades específicas. Uma imprimia os boletins, outra recolhia os pratos das ofertas, outra era responsável pela tesouraria, outra cuidava da Escola Dominical... O fato de cada um ter as próprias tarefas fez que o esforço de preparar a nossa reunião de domingo fosse um sucesso.

- **Desenvolva descrições claras das tarefas**
  Todos têm o direito de saber o que se espera deles.

- **Entregue a cada pessoa a tarefa que mais se ajuste à sua FORMA**
  (acróstico que desenvolvi no livro *Uma vida com propósitos*)*

Quando se delega um trabalho a uma pessoa errada, produz-se um caos, e, por trás dele, problemas de motivação. Saber delegar significa compreender as tarefas e também as capacidades dos membros de sua equipe, com o fim de pôr as responsabilidades corretas nas mãos dos líderes que melhor as possam desempenhar.

> O que é responsabilidade de todos não é responsabilidade de ninguém.

Depois de seis meses de vida, uma de nossas igrejas filiais não parecia ter futuro. Qual era o problema? A questão era que tínhamos errado na escolha do pastor para aquela congregação. A idade média não era a adequada para ele. Nós o transferimos para outra igreja, e, no final de um ano e meio, havia boa frequência e crescimento. É necessário ter a pessoa certa no lugar adequado, para que Deus possa abençoar a obra.

O que é responsabilidade de todos não é responsabilidade de ninguém. Alguém tem de assumir a responsabilidade concreta de cada coisa.

4. Um líder motiva

Ao seu lado, Jedaías, filho de Harumafe, fez os reparos em frente da sua casa, e Hatus, filho de Hasabneias, fez os reparos ao seu lado.[3]

Depois, Benjamim e Hassube fizeram os reparos em frente da sua casa, e ao lado deles Azarias, filho de Maaseias, filho de Ananias, fez os reparos ao lado de sua casa. Depois dele, Binui, filho de Henadade, reparou outro trecho, desde a casa de Azarias até a esquina do muro, e Palal, filho de Uzai, trabalhou em frente da esquina do muro e da torre que sai do palácio superior, perto do pátio da guarda. Junto a ele, Pedaías, filho de Parós, e os servos do templo que viviam na colina de Ofel fizeram os reparos até em frente da porta das Águas, na direção do leste e da torre que ali sobressaía. Depois dele os homens de Tecoa repararam outro trecho, desde a grande torre até o muro de Ofel. Acima da porta dos Cavalos, os sacerdotes fizeram os reparos, cada um em frente da sua própria casa. Depois deles Zadoque, filho de Imer, fez os reparos em frente da sua casa. Ao seu lado Semaías, filho de Secanias, o guarda da porta Oriental, fez os reparos. Depois, Hananias, filho de Selemias, e Hanum, filho de Zalafe, fez os reparos do outro trecho. Ao seu lado, Mesulão, filho de Berequias, fez os reparos em frente da sua moradia.[4]

Quando você organizar um projeto permita que exista a ideia de pertença. Ajude as pessoas a sentir que o projeto lhes pertence. Por toda essa seção das Escrituras, nós encontramos pessoas as quais Neemias colocou para trabalhar em pontos dos muros que estavam perto de suas casas. Trabalhamos com mais dedicação quando temos um interesse pessoal.

Quando alguém permite que exista a ideia de pertença no projeto, a consequência é uma alta motivação. Se estou edificando a parte do muro que vai proteger minha casa, vou fazer um bom trabalho. Economizo tempo, energia e custos, quando designo pessoas para trabalhar perto de suas casas, e, ao mesmo tempo, as pessoas se sentem donas do projeto.

[3] Neemias 3.10.
[4] Neemias 3.23-30.

Faça que o trabalho seja o mais conveniente possível. Tanto você quanto sua equipe vão tirar proveito desta forma de pensar:

> O sumo sacerdote Eliasibe e os seus colegas sacerdotes começaram o seu trabalho e reconstruíram a porta das Ovelhas. Eles a consagraram e colocaram as portas no lugar. Depois construíram o muro até a torre dos Cem, que consagraram, e até a torre de Hananeel.[5]

A porta das Ovelhas era o lugar onde se sacrificavam os animais para o templo, e por isso Neemias designou o local aos sacerdotes. Ao permitir a cada um que trabalhasse próximo da região de seu interesse, demonstrou o princípio de organização.

As boas organizações permitem aos trabalhadores que desenvolvam suas áreas de trabalho.

A Igreja Saddleback foi edificada sobre o ministério dos leigos. Temos um ditado: Se você tem uma ideia, o dom e o interesse, então isso te diz respeito. Toda vez que podemos, permitimos às pessoas de nossa igreja que se sintam donas de seus ministérios. A sensação de pertencer é um princípio fundamental para a organização e o sucesso em qualquer projeto.

5. Um líder promove a unidade

O trabalho em equipe é essencial para realizar qualquer projeto, seja qual for o seu tamanho. Como líder, faça tudo o que puder para trabalhar bem em equipe. Por todo o livro de Neemias, lemos a expressão "outra porção" ou "porções" (*ARA*). Ao trabalhar em equipes bem-organizadas com integrantes que já se conheciam e já haviam trabalhado juntos, percebi que as pessoas se ajudavam e se encorajavam mutuamente.

Mais adiante, no mesmo livro, descobrimos que, em todo o tempo que edificaram os muros, estiveram sob ataque. Eles necessitavam uns dos outros, necessitavam colaborar entre si e trabalhar bem juntos. Aquilo era crítico, não só para seu sucesso, mas também para sua sobrevivência.

B. C. Forbes, fundador da revista *Forbes*, dizia: "A palavra sucesso se soletra E-Q-U-I-P-E". A colaboração é um princípio-chave necessário para a boa organização.

---

[5] Neemias 3.1.

Henry Ford dizia: "Reunir-se é um bom começo, manter-se juntos é progredir, pensar juntos é ter unidade, e trabalhar juntos é triunfar".

Juntos, fazemos coisas que não podemos fazer sozinhos. Os gansos podem voar cerca de 72% mais longe quando estão em formação do que quando voam sozinhos. Quem você pensa que lhes ensinou a fazer isso? Deus, claro.

> "Reunir-se é um bom começo, manter-se juntos é progredir, pensar juntos é ter unidade, e trabalhar juntos é triunfar."

Onde há colaboração e trabalho em equipe, há um grande crescimento. A colaboração é um motivador maior do que qualquer competição, ela nos faz sentir parte de uma equipe ganhadora. As pessoas influenciam umas às outras.

> É melhor ter companhia do que estar sozinho, porque maior é a recompensa do trabalho de duas pessoas. Se um cair, o amigo pode ajudá-lo a levantar-se. Mas pobre do homem que cai e não tem quem o ajude a levantar-se![6]

Já que você está em uma organização, em um negócio, em uma igreja, em um clube social ou em um ministério leigo, siga estes princípios:

- Mantenha as coisas simples.
- Trabalhe com os que querem trabalhar.
- Designe tarefas específicas.
- Permita um sentido de pertencer.
- Encoraje o trabalho em equipe.

As boas organizações proporcionam um clima de apoio em que há confiança mútua e trabalho em equipe.

A Bíblia usa as palavras "um ao outro" 58 vezes ao referir-se aos cristãos da igreja. É como se Deus nos dissesse: "Captem a mensagem! Ajudem-se uns aos outros!". Não existe nenhum cristão que viva como um cavaleiro solitário. Neste mundo, estamos juntos e precisamos uns dos outros. Somos uma equipe. Existe um poder gigantesco na colaboração. Deus pode deixar passar quase tudo na igreja: os edifícios pobres, a falta

---

[6] Eclesiastes 4.9,10.

de edifícios e inclusive a pobreza da doutrina. No entanto, há uma coisa que ele não está disposto a deixar passar: a desunião.

Nos dez primeiros capítulos do livro de Atos, encontramos dez vezes as expressões "todos juntos", "de comum acordo", "unidos". Quando você tiver a unidade que a Igreja tinha no livro de Atos, terá também o poder que vemos nesse livro. Há poder no trabalho em equipe.

> As boas organizações proporcionam um clima de apoio em que há confiança mútua e trabalho em equipe.

Uma vez alguém disse algo com que eu concordo: "A neve é uma formosa demonstração do que Deus pode fazer com um montão de flocos". Individualmente, cada floco de neve é muito frágil. No entanto, se eles se reúnem o suficiente, podem chegar a deter o trânsito. Por minha conta, talvez eu não seja capaz de fazer muito. O mesmo acontece com você. Juntos, no entanto, causamos um impacto. Juntos podemos mudar o mundo para Deus. Isso é trabalho em equipe.

6. Um líder administra

Em todos os tipos de projeto, é necessário haver supervisão de trabalho. É interessante observar que o livro de Neemias não menciona nunca o nome do próprio Neemias. Onde estava? Estava em primeira linha supervisando os trabalhos. Estava fazendo o que Tom Peters chama "Geca" (Gerência caminhando), em seu livro Paixão pela excelência [sem edição no Brasil].[7] Neemias estava caminhando e vendo o trabalho das pessoas, inspecionando e supervisionando continuamente. De que outra forma saberia o que cada um estava fazendo? Como você pode saber?

Além de inspecionar as obras ele mesmo, Neemias nomeou supervisores que o ajudaram a controlar, dirigir e administrar o projeto. Vamos ver dois princípios que devemos compreender com o exemplo de Neemias.

As boas organizações estabelecem linhas de autoridade claras. Além das descrições de responsabilidades claras, há linhas de autoridade claras. Não há confusão quanto a quem deve informar quem.

---

[7] PETERS, Thomas J. **A Passion for Excellence**. [S.l.]: Warner Books, 1986.

As pessoas fazem o que você inspeciona, não o que você espera. Você notou como isso é verdade? Se seus trabalhadores sabem que você não os está vigiando, não vão trabalhar.

7. Um líder agradece

As boas organizações reconhecem o esforço. O reconhecimento do que os outros fazem para conseguir que seus projetos se tornem em realidade é talvez o principal propósito do terceiro capítulo de Neemias. Aqui ele apresenta uma grande lista de honra à fé, atribuin-

> As boas organizações estabelecem linhas de autoridade claras.

do méritos aos que os mereceram. Quase 3 mil anos depois, talvez não possamos pronunciar os nomes, mas ainda os recordamos.

Há algumas coisas que precisamos observar acerca desse princípio de reconhecimento.

Neemias os conhecia por seus nomes. Esse é um dos sinais do bom líder. Neemias menciona 38 nomes, e lhes atribui o mérito de terem feito um bom trabalho no muro. Você sabe quem está fazendo um bom trabalho em sua organização? Se sabe, já lhes disse que você aprecia o que fazem? Você faz que eles saibam? O reconhecimento é um princípio da boa organização.

Um ano, estava em Israel e desci à torrente onde Davi encontrou as cinco pedras polidas que atirou em Golias. Dessa mesma torrente recolhi cinco pedras polidas e as trouxe comigo para minha casa. Em Betânia, comprei uma pequena funda de um menino na rua. Quando cheguei em casa, mandei fazer uma placa com as pedras, a funda e esta inscrição: "Estou olhando para o Golias ou para o Deus vivo?". E coloquei nela o nome de "Prêmio para o Matador de Gigantes". Cada

> As pessoas fazem o que você inspeciona, não o que você espera.

mês, eu entrego essa placa para o membro da nossa equipe que tenha enfrentado o maior problema naquele período. Isso não quer dizer que o tenha resolvido, mas que o tenha enfrentado.

Desenvolva formas de fazer que as pessoas saibam que estão realizando um bom trabalho. Tal qual fez Neemias:

> Depois dele Baruque, filho de Zabai, reparou com zelo outro trecho, desde a esquina do muro até a entrada da casa do sumo sacerdote Eliasibe.[8]

As palavras "com zelo" são as únicas palavras descritivas que há nesse capítulo. Outros são reconhecidos por realizarem seu trabalho, e há aqueles que não trabalharam de forma alguma. Baruque fez seu trabalho de tal modo que Neemias anotou sua atitude. Trabalhou com entusiasmo. Quase 3 mil anos mais tarde, ainda conhecem o seu nome. Não sabemos com exatidão o que ele fez. Talvez tenha trabalhado mais rápido que os demais, ou durante mais horas, ou talvez tenha demonstrado uma atitude especialmente positiva. Graças a seu entusiasmo, Baruque continua sendo um exemplo para nós, hoje.

Se você quer que reconheçam seu trabalho, faça-o com entusiasmo. Deus vê o entusiasmo. Está na Bíblia. Em grego, a palavra "entusiasmo" significa "possuído por Deus". Quando é Deus quem o possui, nota-se.

> Salum, filho de Haloês, governador da outra metade do distrito de Jerusalém, fez os reparos do trecho seguinte com a ajuda de suas filhas.[9]

Naqueles dias, as mulheres não faziam trabalhos de homem. Culturalmente, era raro que elas fossem reconhecidas. No entanto, Neemias as reconheceu. Ele atribuiu o mérito a quem era devido. Creio que o único propósito pelo qual Neemias escreveu o terceiro capítulo foi demonstrar o valor do reconhecimento.

> O trecho seguinte foi reparado pelos homens de Tecoa, mas os nobres dessa cidade não quiseram se juntar ao serviço, rejeitando a orientação de seus supervisores.[10]

É interessante o fato de que, enquanto Neemias está honrando a tantos pelo trabalho feito, lembra agora esses supostos "notáveis" pelo que não fizeram. Que epitáfio! Graças a Neemias, são milhares de milhares de pessoas que leram, desde aqueles tempos, a respeito dos esforços dos que construíram o muro e também a respeito dos que não se esforçaram para levantar um só tijolo.

---

[8] Neemias 3.20.
[9] Neemias 3.12.
[10] Neemias 3.5.

Como um líder organiza um projeto

As boas organizações reconhecem e recompensam os esforços.

Enquanto lia a lista de honra de Neemias, pensava em minha igreja, a Igreja Saddleback. Quem são os que estariam nessa lista de honra? No decorrer dos anos, nossa igreja cresceu tanto que não me é possível conhecer a todos, e sei que são milhares os que colaboram, e cujos nomes e rosto é possível que eu nunca chegue a conhecer nesta terra. O que dizer a essas pessoas? São muitas as igrejas que funcionam com o princípio do 80/20: 20% das pessoas fazem 80% do trabalho. Isso é certo no sentido físico, e também no financeiro, e o é na maioria das igrejas. Não deveria ser assim, porque isso significa que todos os demais estão obtendo algo que não ganharam.

Neemias não se enraiveceu por causa dessas pessoas. O fato de elas não terem participado não o importunou. Ele preferiu concentrar-se nos que estavam trabalhando e esquecer os que não queriam trabalhar. "Não tenho o direito", disse, "de me deixar ser importunado pelo fato de que há pessoas que nunca vão fazer nada para servir. Talvez venham durante semanas, meses ou anos, e nunca participarão de nada. Deus o sabe, e um dia, é ele quem recompensará".

> As boas organizações reconhecem e recompensam os esforços.

Assim, cada um de nós prestará contas de si mesmo a Deus.[11]

Neemias tinha uma lista. E você? Está na lista de Deus? Um dia, quando comparecer diante dele, vai olhar a lista e você saberá se participou em sua obra ou não. A Bíblia diz que vou prestar contas a Deus da minha vida, com respeito à forma pela qual o servi. E você também.

E se vocês não forem dignos de confiança em relação ao que é dos outros, quem lhes dará o que é de vocês?[12]

Deus vai pedir contas do que você fez com o que ele lhe deu! Ele está fazendo uma lista da mesma forma que Neemias tinha a sua de reconhecimentos. Deus está mantendo um relatório de meu trabalho e da minha mordomia... e dos seus também. Na realidade, não importa o que os

[11] Romanos 14.12.
[12] Lucas 16.12.

outros pensem. Nem sequer importa quem sabe as coisas. O que importa é que Deus sabe.

O que Deus vai dizer acerca do meu trabalho? Ele dirá "Bem feito, servo bom e fiel", ou dirá, "Por que você não fez mais? Qual é a sua desculpa?".

O que Deus vai dizer sobre você? Se este fosse seu último momento na terra, "o que Deus diria sobre a forma pela qual você o tem servido?"

> Portanto, meus amados irmãos, mantenham-se firmes, e que nada os abale. Sejam sempre dedicados à obra do Senhor, pois vocês sabem que, no Senhor, o trabalho de vocês não será inútil.[13]

Deus não pediu a nenhum de nós que construíssemos um muro. No entanto, ele nos pediu que nos envolvêssemos no ministério. Ser cristão significa ser chamado para o ministério.

Nem todos vamos ser pastores, nem vamos renunciar ao nosso trabalho para nos dedicar integralmente à obra do ministério. No entanto, todos os cristãos, sim, temos sido chamados para servir; para ministrar aos outros. O cristão que não serve não serve e é uma contradição. Deus espera de nós que nos envolvamos servindo aos outros.

> Assim como cada um de nós tem um corpo com muitos membros e esses membros não exercem todos a mesma função, assim também em Cristo nós, que somos muitos, formamos um corpo, e cada membro está ligado a todos os outros. Temos diferentes dons, de acordo com a graça que nos foi dada. Se alguém tem o dom de profetizar, use-o na proporção da sua fé. Se o seu dom é servir, sirva; se é ensinar, ensine; se é dar ânimo, que assim faça; se é contribuir, que contribua generosamente; se é exercer liderança, que a exerça com zelo; se é mostrar misericórdia, que o faça com alegria.[14]

Pergunte-se: "Qual é a minha função dentro do Corpo de Cristo? Qual é o meu lugar dentro da igreja? Que parte do muro estou levantando?".

Deus deu a cada um de nós distintos dons com diferentes propósitos. No entanto, não permita que esses dons se interponham no caminho do

---

[13] 1Coríntios 15.58.
[14] Romanos 12.4-8.

ministério prático. Não use como desculpa o "esse não é meu dom". Sim, você deve trabalhar no aspecto que lhe interessa. Sim, você deve trabalhar naquilo para o que recebeu dons espirituais. Você deve utilizar seus dons no aspecto fundamental do serviço a realizar.

No entanto, Deus também o chama para trabalhar além do que abarcam seus dons espirituais. De todos os que estão nas listas de Neemias, não há nenhum que fosse construtor profissional de muros. Nenhum deles tinha "o dom" de colocar tijolos e fazer massa. Havia farmacêuticos, joalheiros e ourives. Eram pessoas que trabalhavam com suas mãos, mas, quando precisaram dessas mãos para erguer um muro, não tiveram medo de enchê-las de calos.

> O cristão que não serve não serve e é uma contradição.

Certa vez, conversei com Peter Drucker, o consultor de negócios mais destacado do mundo.

"Tenho uma igreja cheia de gerentes", disse-lhe. "Todos são empregados públicos e executivos. Não posso lhes pedir que todas as semanas arrumem as cadeiras."

"Por que não?", respondeu-me. "Eles precisam. Qualquer executivo que não estiver disposto a arrumar as cadeiras não serve para nada."

Todos precisam desenvolver um coração de servo, em vez de ser como aqueles notáveis que diziam: "Isso seria me rebaixar!". Se não houvesse outro motivo, pense no que o povo poderia ler e aprender de você daqui a 3 mil anos.

Neemias menciona três tipos de pessoa: estavam os que não trabalharam, os que trabalharam um pouco e um que fez seu trabalho com entusiasmo. Deus percebe as três atitudes. Ele soube quem não fez absolutamente nada, quem fez o que lhe correspondia e notou o que foi além do que lhe correspondia por dever e trabalhou com entusiasmo.

Como é a sua participação na obra de Deus? O que Deus está observando a seu respeito?

Kenneth Strachan, missionário na América do Sul, fez esta afirmação que é conhecida como "o teorema de Strachan": "A expansão de qualquer movimento se encontra em proporção direta ao seu sucesso enquanto mobilizar a todos os seus membros na propagação direta de suas crenças".

Tudo quanto possamos dizer acerca do crescimento das nossas empresas, poderemos dizê-lo porque houve pessoas que se interessaram o suficiente para participar delas. Se a Igreja Saddleback não me tivesse superado, o que fez já há muitos anos, ainda teríamos entre 50 e 60 pessoas. Em Saddleback, porém, há centenas de pessoas que têm um grande coração. E na sua organização existem muitos grandes corações também.

Deus se interessa pelo que você está fazendo. Ainda que ninguém mais o perceba, Deus, sim, o vê e se lembra de você. Ele está escrevendo tudo, e um dia no céu vai mostrar-lhe essa lista. As Escrituras dizem que não damos um copo de água fresca no nome de Jesus, sem que isso fique registrado. O que você fizer no nome de Jesus lhe será recompensado na eternidade.

Esse impressionante princípio é uma ilustração da verdade que se afirma na Palavra de Deus: "Toda a Escritura é inspirada por Deus e útil para o ensino, para a repreensão, para a correção e para a instrução na justiça, para que o homem de Deus seja apto e plenamente preparado para toda boa obra".[15] Até em uma passagem que não passa de uma lista de 38 pessoas e no que eles fizeram num muro há 3 mil anos podemos observar que esses princípios de organização são para todos os tempos.

> Deus se interessa pelo que você está fazendo.

Talvez você esteja em um cargo de liderança ou administrativo em algum lugar, e consiga ver de imediato a forma de aplicar na sua organização esses sete princípios. No entanto, para a maioria de nós, acho que a mensagem é que Deus vê tudo o que se faz em seu nome, e se interessa o suficiente para anotar tudo o que vê.

Considero que um cristão que não serve não serve. Não compreendo como uma pessoa pode entender o que Jesus Cristo fez por nós, o tamanho do seu sacrifício por nós, e nunca lhe querer devolver nada. Creio que Deus está falando com você. Talvez você possa ouvi-lo: "Você precisa achar um lugar onde servir".

Existe um bom número de coisas que estamos fazendo neste momento que não vão significar nada daqui a dez anos, mas, neste momento, sim. Convido você a se juntar à maior das causas do mundo: o Reino

---

[15] 2Timóteo 3.16,17.

de Deus. Você não pode fazer na vida nada mais importante do que levar Cristo aos outros; ajudá-los a crescer no Senhor e a se converter em membros da sua família. As Escrituras dizem que, assim como cada um de nós tem um corpo com muitos membros, e esses membros não têm todos a mesma função, também em Cristo, nós somos muitos, formamos um só corpo, e cada um dos membros pertence aos outros. Temos dons diferentes e precisamos utilizá-los.

Lendo isso, você poderá dizer: "Senhor, percebo que estás falando comigo. Não quero buscar mais desculpas, como aqueles notáveis tão preguiçosos. Quero achar um lugar onde possa te devolver parte da minha vida em serviço e ministério. Quero que a minha vida sirva para algo. Quero ter um impacto significativo. Um dia, quando eu comparecer diante de ti para prestar contas, mais do que qualquer coisa, quero ouvir estas palavras: 'Muito bem, servo bom e fiel'. Porque, então, saberei que tudo terá valido a pena. Obrigado pela tua Palavra".

> Deus vê tudo o que se faz em seu nome, e se interessa o suficiente para anotar tudo o que vê.

Pai, estou muito grato pelos que estão lendo este livro; pelos que têm tomado a decisão de aprender acerca da eficácia da liderança. Nenhum deles tem a obrigação de fazer isso. O fato de eles estarem fazendo significa que estão preocupados com o crescimento espiritual e com as questões do espírito. Todos precisam chegar mais perto de ti. Todos precisam de um lugar onde servir, dar, compartilhar e investir a sua vida para a eternidade. Peço-te que uses esses princípios para nos motivar à ação. É o que te peço em nome de Jesus. Amém.

GUIA PARA APLICAÇÃO DO PRINCÍPIO 5

Como um líder organiza um projeto?

Aplicando os propósitos de Deus

O que Deus lhe tem falado por meio desta lição sobre suas aptidões de organização?

Comunhão – O sucesso de qualquer organização depende do trabalho comprometido de seus membros. Infelizmente, é fato que, na maior parte das organizações, os 20% realizam 80% do trabalho.

- Como teria Neemias enfrentado essa realidade?
- Como você pode ser mais como Neemias no seu papel de liderança?
- Pense em como colocar o foco nas pessoas que fazem o trabalho mais do que nas que não o fazem, e em como recompensar esses bons trabalhadores. Se você ainda não tem um programa de reconhecimento na sua organização, crie um e comece a aplicá-lo. Se você já tem esse programa, garanta que esses trabalhadores saibam que você pessoalmente aprecia seu trabalho.

Discipulado – Como líder, você é responsável pelo crescimento deles na sua organização. Isso significa que você deve crescer como um discípulo de Cristo. Pense em Jesus como um Neemias na sua vida.

- Como ele aplica esses sete princípios no seu crescimento?
- Você é um participante entusiasta?
- Em que sentido aplicar esses sete princípios poderia ajudá-lo a crescer como líder?

Ministério – As pessoas florescem quando servem em áreas que podem tornar suas.

- O que você pode fazer para ajudar os membros do seu grupo a identificar os papéis que Deus tem moldado para eles?
- O que mais você poderia fazer para ajudá-los a desenvolver esses papéis?

- Mantenha-se informado acerca das aulas que se oferecem, e incentive as oportunidades educativas ou seja você mesmo o tutor pessoal dos membros do seu grupo.

Evangelismo – Alcançar o mundo para Cristo se assemelha muito à reconstrução dos muros. O evangelismo, assim como o trabalho, se faz melhor perto de casa.

- Como você pode reconstruir relacionamentos na sua vida que causem impacto em outros para Cristo?
- De que maneira uma boa organização poderia ajudá-lo a encontrar seus objetivos evangelísticos?
- Perto de você, com quem poderia reconstruir um muro relacional na atualidade?

Adoração – Quando passamos tempo com Deus, não podemos deixar de refletir a sua presença diante dos outros. No seu tempo de oração nesta semana, peça a Deus que o ajude a desenvolver sua personalidade de liderança. Responda as seguintes perguntas:

- Como você pode refletir mais de Deus perante os que o rodeiam.
- Por que Deus quer que você faça isso?
- Onde Deus quer usar você agora?
- Quando você deve agir sobre o que Deus lhe está revelando?
- Escolha uma das sete características de liderança e concentre-se nela.

PONTOS PARA REFLEXÃO

Organizar um projeto implica reconhecer os que estão trabalhando nele. Isso significa que Deus reconhece nosso trabalho também. A seguir, há outros versículos que devem ser considerados antes do próximo capítulo. Peça a Deus que lhe revele qual deve ser sua resposta como líder diante destes versículos.

Assim, cada um de nós prestará contas de si mesmo a Deus (Romanos 14.12).

Portanto, meus amados irmãos, mantenham-se firmes, e que nada os abale. Sejam sempre dedicados à obra do Senhor, pois vocês sabem que, no Senhor, o trabalho de vocês não será inútil (1Coríntios 15.58).

Assim como cada um de nós tem um corpo com muitos membros e esses membros não exercem todos a mesma função, assim também em Cristo nós, que somos muitos, formamos um corpo, e cada membro está ligado a todos os outros. Temos diferentes dons, de acordo com a graça que nos foi dada. Se alguém tem o dom de profetizar, use-o na proporção da sua fé. Se o seu dom é servir, sirva; se é ensinar, ensine; se é dar ânimo, que assim faça; se é contribuir, que contribua generosamente; se é exercer liderança, que a exerça com zelo; se é mostrar misericórdia, que o faça com alegria (Romanos 12.4-8).

Neemias estabelece três classes de trabalho: 1) nenhum trabalho; 2) algum trabalho; 3) trabalho entusiasta. Qual deles descreve melhor você?

CAPÍTULO 6

Como um líder enfrenta seus opositores

Como você enfrenta a oposição? Sente-se em pânico quando o pressionam? Fica tenso, perde o controle, sente-se desalentado ou se dá por vencido? O que você faz? A descrição de responsabilidades de um líder inclui fazer frente aos ataques. O quarto capítulo de Neemias refere-se à estratégia de batalha: as táticas dos oponentes, os efeitos dessa oposição e a resposta correta do líder.

1. Um líder faz frente à oposição

• As táticas dos oponentes

Quando Sambalate soube que estávamos reconstruindo o muro, ficou furioso. Ridicularizou os judeus e, na presença de seus compatriotas e dos poderosos de Samaria, disse: "O que aqueles frágeis judeus estão fazendo? Será que vão restaurar o seu muro? Irão oferecer sacrifícios? Irão terminar a obra num só dia? Será que vão conseguir ressuscitar pedras de construção daqueles montes de entulho e de pedras queimadas?" Tobias, o amonita, que estava ao seu lado, completou: "Pois que construam! Basta que uma raposa suba lá, para que esse muro de pedras desabe!" Ouve-nos, ó Deus, pois estamos sendo desprezados. Faze cair sobre eles a zombaria. E sejam eles levados prisioneiros como despojo para outra terra.[1]

O escárnio é a primeira tática que os nossos inimigos costumam escolher, como mostra essa passagem. Depois de tantos anos, é uma estratégia que ainda funciona. Muitos dos livros que você acha nas estantes

[1] Neemias 4.1-3.

relacionados aos negócios hoje falam da guerra psicológica no escritório. Se você é cristão, aumente a intensidade da batalha. O mundo não cristão ridiculariza a Igreja. As pessoas nos denigrem, discutem conosco, zombam de nós, caracterizam-nos como fracos, ignorantes e fanáticos, ou dizem que todos os pastores são fracos e covardes, ou caloteiros. A zombaria é constante, e é eficaz porque ataca a nossa autoestima. Podemos suportar quase tudo, menos o ridículo. O ridículo é sempre o substituto do raciocínio, como podemos ver no ataque de Sambalate. O riso é sempre o substituto da lógica. Quando alguém o ridiculariza, é provável que tenha medo de que você esteja com a razão. Eles têm medo de que você triunfe. Sambalate recorreu ao insulto: "aqueles frágeis judeus". Com isso, ele estava insinuando que a motivação deles era egoísta, e zombava das suas crenças. Estava exagerando nas acusações. Essas são as ferramentas típicas do escárnio. "Irão terminar a obra num só dia?", perguntou. No entanto, ninguém havia sugerido tal coisa. Ninguém havia dito que o muro seria reconstruído em um dia. O exagero das acusações é uma tática típica do escárnio. Primeiro, criam uma imagem falsa do que acontece, e, depois, procuram derrubá-la.

Ainda mais: o escárnio é algo contagioso. Uma vez que Sambalate lançou seus ataques verbais, seu comparsa, Tobias, lança o seu. Toda vez que alguém começa a ridicularizar, sempre há outro que o segue. São os covardes que nunca teriam dito uma palavra por conta própria.

> Nesse meio tempo fomos reconstruindo o muro, até que em toda a sua extensão chegamos à metade da sua altura, pois o povo estava totalmente dedicado ao trabalho. Quando, porém, Sambalate, Tobias, os árabes, os amonitas e os homens de Asdode souberam que os reparos nos muros de Jerusalém tinham avançado e que as brechas estavam sendo fechadas, ficaram furiosos. Todos juntos planejaram atacar Jerusalém e causar confusão.[2]

Os inimigos tramam uma resistência, e, agora, em lugar de um punhado de críticos, o que temos já é uma conspiração.

Sambalate agitou os descontentes para que resistissem ao projeto de construção dos muros que Neemias havia lançado. Com Sambalate e os

---

[2] Neemias 4.6-8.

samaritanos ao norte, os árabes ao sul, Tobias e os amonitas ao leste e os homens de Asdode ao oeste, os judeus estavam rodeados. Para onde quer que olhassem, viam pessoas conspirando contra eles. Você já notou como as pessoas negativistas tendem a se juntar? Há alguns cujo único propósito na vida parece ser opor-se aos demais.

> E os nossos inimigos diziam: "Antes que descubram qualquer coisa ou nos vejam, estaremos bem ali no meio deles; vamos matá-los e acabar com o trabalho deles". Os judeus que moravam perto deles dez vezes nos preveniram: "Para onde quer que vocês se virarem, saibam que seremos atacados de todos os lados".[3]

A forma mais rápida de espalhar um rumor é se alimentar dos medos que as pessoas têm. "Antes que descubram qualquer coisa ou nos vejam, estaremos bem ali no meio deles", diziam. O certo é que não tinham esse tipo de poder. O rumor de um ataque foi suficiente para incitar o pânico. Quando alguém compreende que seus inimigos usarão rumores para atacá-lo, pode preparar-se para resistir à sua violência.

Os rumores caracterizam-se por duas coisas:

1) Sempre são espalhados pelos que estão mais perto do inimigo: "Os judeus que moravam perto deles". Os judeus que moravam fora da cidade e perto dos inimigos eram os mais negativistas.

Você já esteve rodeado por gente negativista? Quando estamos, nós também vamos nos tornando negativistas. É como um vírus que nos infecta. Se o inimigo consegue infiltrar alguém dentro do acampamento que diga: "Isso não pode ser feito", terá conseguido uma grande vitória. Ele o sabe, e assim se dedica a infiltrar-se em nossas fileiras.

2) Os rumores vão se tornando mais exagerados à medida que se repetem: "dez vezes nos preveniram". Quando se exagera dez vezes um rumor, as pessoas começam a acreditar. Acho que foi Hitler quem descobriu que, se alguém repete uma mentira durante tempo suficiente, as pessoas começam a acreditar nela. A questão é a seguinte: o ponto de vista negativo sempre é exagerado nos projetos.

[3] Neemias 4.11,12.

Os líderes não engolem os rumores.

Talvez os escutem, e cheguem até a ruminá-los durante algum tempo... mas nunca os engolem. Eles compreendem que os rumores são sempre exageros da verdade.

- **O efeito da hostilidade**

Enquanto isso, o povo de Judá começou a dizer: "Os trabalhadores já não têm mais forças e ainda há muito entulho. Por nós mesmos não conseguiremos reconstruir o muro". E os nossos inimigos diziam: "Antes que descubram qualquer coisa ou nos vejam, estaremos bem ali no meio deles; vamos matá-los e acabar com o trabalho deles".[4]

> Os líderes não engolem os rumores.

Quando alguém está trabalhando duro e descobre que está sendo bombardeado com escárnio, rumores e resistência, o natural é que comece a se sentir desanimado. O desalento é duplo: a intenção e a consequência da oposição.

Nesse meio tempo fomos reconstruindo o muro, até que em toda a sua extensão chegamos à metade da sua altura, pois o povo estava totalmente dedicado ao trabalho.[5]

Quando você acha ser mais provável que apareça o desânimo? Você tem em sua casa algum projeto inacabado? Geralmente, o desânimo aparece quando estamos na metade do projeto.

O desalento tem quatro causas principais:

1. **A fadiga:** "Os trabalhadores já não têm mais forças". Um corpo cansado pode causar um espírito esgotado e desalentado. Descanse sempre que puder, para evitar este imobilizador de projetos.

2. **A frustração:** "e ainda há muito entulho". Quando você está trabalhando num projeto tão gigantesco como o de Neemias, geralmente a frustração é um tema de percepção. Na realidade, os montes de escombros vão diminuindo, mas se continuarmos

---

[4] Neemias 4.10,11.

[5] Neemias 4.6.

olhando para eles, ficaremos arrasados. Se nos limitamos a seguir em frente, poderemos vencer.

3. **O fracasso:** "Por nós mesmos não conseguiremos reconstruir o muro". Quando você está esgotado, tudo parece impossível. Vince Lombardi disse: "A fadiga nos converte em covardes".

4. **O temor:** "E os nossos inimigos diziam: 'Antes que descubram qualquer coisa ou nos vejam, estaremos bem ali no meio deles; vamos matá-los". Uma das táticas principais do inimigo consiste em induzir ao medo.

Os inimigos sempre têm dois objetivos: dificultar a Palavra de Deus e deter a obra de Deus.

- **Qual é a resposta correta aos nossos opositores?**

O que você deve fazer quando estiverem atacando você? Há alguma forma de oposição às agressões aceita diante de Deus? Veja agora algumas sugestões que procedem de Neemias.

Os líderes dependem de Deus.

- **Confie em Deus**

Ouve-nos, ó Deus, pois estamos sendo desprezados. Faze cair sobre eles a zombaria. E sejam eles levados prisioneiros como despojo para outra terra. Não perdoes os seus pecados nem apagues as suas maldades, pois provocaram a tua ira diante dos construtores.[6]

Neemias orou. Que maneira mais fabulosa de aliviar a tensão! Quando estiverem ridicularizando você, não o negue, confesse-o. Apoie-se em Deus. Admita tudo diante dele. "Meu Deus, nós confiamos que tu nos vais defender", disse-lhe Neemias. Em lugar de se enredar em uma competição de insultos, o que ele fez foi buscar apoio em Deus.

> Os inimigos sempre têm dois objetivos: dificultar a Palavra de Deus e deter a obra de Deus.

Não responda ao insensato com igual insensatez, do contrário você se igualará a ele.[7]

---

[6] Neemias 4.4,5.

[7] Provérbios 26.4.

Se alguém está ridicularizando você, não lhe responda. Se fizer isso, não vai ser melhor do que quem está zombando de você. Apoie-se em Deus e ore.

Quanto maior a hostilidade, mais você vai precisar confiar em Deus. A oração é sua grande aliada quando o estão atacando.

Quando ridicularizarem você, não enfrente as pessoas, converse com Deus.

Neemias fez pouco caso do escárnio e avançou em direção à sua meta. Ore e continue fazendo o que deve ser feito. O escárnio nunca poderá deter o que você está fazendo, a menos que você permita.

Cada vez que atacarem você, a primeira coisa que deve fazer é levar isso a Deus em oração. Ore.

Algumas vezes, basta ignorar a hostilidade, outras, não. Há ocasiões nas quais as críticas se intensificam, façamos o que façamos. Quando Sambalate e seus comparsas descobriram que o povo não estava prestando atenção em suas zombarias, conspiraram para combater Jerusalém. Quando acontecer algo assim com você, leve o fato a Deus. Deixe que seja ele quem dê a força necessária para você terminar o que começou.

> Quando ridicularizarem você, não enfrente as pessoas, converse com Deus.

2. Os líderes respeitam seus opositores

• Não subestime seus opositores

"Mas nós oramos ao nosso Deus e colocamos guardas de dia e de noite para proteger-nos deles."[8]

Precisamos reconhecer e respeitar a força de nossos inimigos. Neemias fez que orassem ("nós oramos ao nosso Deus") e atuassem ("colocamos guardas de dia e de noite para proteger-nos deles"). Está muito bem que peçamos a Deus que nos proteja, dizendo à noite em nossa cama : "protege-me dos ladrões". No entanto, é necessário também que nos levantemos e fechemos a porta. Oliver Cromwell dizia: "Confie em Deus e mantenha a pólvora seca".

---

[8] Neemias 4.9.

Uma petição sem precaução é presunção.

Quando o estão atacando, você precisa se apoiar em Deus, e também respeitar seus opositores. Quanto maior for a oposição, maior será a resposta que você vai precisar dar.

Até aquele momento, somente Neemias havia orado. Agora, graças a seu exemplo, todos estavam orando. Estavam observando seu líder. Guiamos mais pelo exemplo que por meio das nossas palavras, por mais elevados que estejamos.

> Uma petição sem precaução é presunção.

Neemias havia orado constantemente até aquele momento. O povo, que o observou, e viu sua fidelidade a Deus, começou a orar também.

Se você é um líder em seu negócio e quer que outros o sigam, comece a orar. A hostilidade corporativa exige uma resposta também corporativa. Graças ao exemplo de Neemias, todo o povo de Deus havia começado a orar.

Então, puseram guarda. Neemias conhecia seus inimigos, de modo que colocou vigilância vinte e quatro horas e estabeleceu um sistema de segurança. Talvez você tenha ouvido dizer: "Guerra avisada não mata as pessoas!". É verdade. No decorrer de toda a história, os líderes têm pagado um preço alto toda vez que subestimaram seus inimigos. Ora, mas há algo além de orar. Mantenha-se vigilante. Conheça seus inimigos e não permaneça ignorante diante do que está acontecendo.

Na Bíblia, usa-se uma e outra vez a expressão "vigiai e orai". Jesus disse isso. Paulo disse isso. João disse isso. Pedro disse isso. "Vigiar" é a parte humana: colocar-se em guarda. "Orar" é a parte divina: confiar em Deus. Estamos alertas quando fechamos nossa porta; oramos quando dizemos a Deus que confiamos nele. Faça as duas coisas.

3. Os líderes reforçam os pontos fracos

• Reforce os pontos fracos

Por isso posicionei alguns do povo atrás dos pontos mais baixos do muro, nos lugares abertos, divididos por famílias, armados de espadas, lanças e arcos.[9]

---

[9] Neemias 4.13.

Depois de orar e de fazer andar seu sistema de alarme, Neemias reforçou os lugares mais vulneráveis; aqueles lugares onde a muralha estava mais baixa e que necessitavam de ajuda especial – os lugares onde estava mais alta não necessitavam de tanta vigilância.

Você sabe onde estão os pontos frágeis em seu negócio? E em sua família? Onde vocês estão mais expostos a ataques? Esse é o princípio que Neemias está nos ensinando.

Os bons líderes sabem em que pontos são vulneráveis e reforçam esses lugares.

Quando estiver fazendo uma apresentação, qualquer que ela seja, reconheça suas debilidades, preveja as objeções. Prepare-se para o que podem lançar contra você. Espere isso, porque é o mais provável que aconteça. Se você estiver preparado, poderá evitar um desastre.

> Daquele dia em diante, enquanto a metade dos meus homens fazia o trabalho, a outra metade permanecia armada de lanças, escudos, arcos e couraças. Os oficiais davam apoio a todo o povo de Judá que estava construindo o muro. Aqueles que transportavam material faziam o trabalho com uma das mãos e com a outra seguravam uma arma, e cada um dos construtores trazia na cintura uma espada enquanto trabalhava; e comigo ficava um homem pronto para tocar a trombeta. Então eu disse aos nobres, aos oficiais e ao restante do povo: A obra é grande e extensa, e estamos separados, distantes uns dos outros, ao longo do muro. Do lugar de onde ouvirem o som da trombeta, juntem-se a nós ali. Nosso Deus lutará por nós![10]

Neemias e os habitantes de Jerusalém trabalhavam dia e noite sem parar. Entretanto, não tinham exército. Todos eram trabalhadores iniciantes que haviam unido forças para levantar a muralha. Não podiam sequer pensar em fortificar a cidade. Por isso, Neemias disse: "Do lugar de onde ouvirem o som da trombeta, juntem-se a nós ali. Então saberemos que o inimigo está ali, e vamos combatê-lo juntos". Mantenha abertas as linhas de comunicação nos momentos em que estiver sofrendo hostilidades.

> Os bons líderes sabem em que pontos são vulneráveis e reforçam esses lugares.

[10] Neemias 4.16-20.

Como um líder enfrenta seus opositores

Neemias transformou a cidade toda em um acampamento armado e todos começaram a fazer duas coisas: trabalhar e carregar a arma.

Cada vez que começamos a estabelecer algo para Deus, estamos buscando uma batalha. Tanto que, se é o caso de reerguer o seu casamento, uma igreja ou sua vida espiritual, você está procurando briga. Satanás vai de encontro a tudo o que Deus abençoa. Ele usa as pessoas para nos fazerem oposição.

Os líderes precisam edificar e lutar ao mesmo tempo.

Se você está fazendo algo que tenha importância nesse mundo, alguém irá lhe fazer oposição.

Neemias tinha três alternativas diante dos rumores, da resistência e do ridículo. Podia:

a. Abandonar tudo.
b. Deixar de levantar os muros e ir lutar.
c. Edificar os muros e armar-se para a defesa.

Ele sabia que as duas primeiras opções não iriam funcionar. Os líderes têm de edificar e batalhar ao mesmo tempo. Neemias não estava disposto a renunciar ao que estava fazendo e era esperto demais para deixar tudo e ir lutar. Se passarmos o tempo todo apagando incêndios, nunca terminaremos o nosso trabalho. Para que seus projetos triunfem, você precisa edificar e batalhar ao mesmo tempo.

> Os líderes têm de edificar e batalhar ao mesmo tempo.

> Por isso posicionei alguns do povo atrás dos pontos mais baixos do muro, nos lugares abertos, divididos por famílias, armados de espadas, lanças e arcos.[11]

Por que você acha que Neemias foi estabelecendo o povo em pequenos grupos familiares? Quando nos estão atacando, precisamos de apoio mais do que em qualquer outro momento. Esse é um dos benefícios dos pequenos grupos. Quando estamos em um grupo pequeno, de modo diferente do que quando brincamos de cavaleiro solitário, somos menos vulneráveis aos ataques de Satanás. Deus nunca quis que andássemos sozinhos,

---

[11] Neemias 4.13.

por mais invencíveis que pensemos que somos. Nos pequenos grupos há apoio e conforto.

Por que ele fez isso por famílias? Neemias compreendia que, se uma pessoa estava trabalhando no muro e estivesse preocupada com sua família no outro extremo da cidade, ia viver em um constante estado de temor. "E se o inimigo estiver atacando lá?", estaria pensando esse trabalhador. "Poderiam acabar com minha família." Por isso, colocou no muro trabalhadores por grupos familiares. Conhecia a força que têm os laços de família, sabia que as pessoas fazem tudo o que for necessário para proteger os seus.

Nunca lute sozinho.

Cada vez que tiver de enfrentar a oposição, busque apoio. Essa é uma das razões pelas quais existe a igreja. Todo fim de semana prego em minha igreja, sabendo que na segunda de manhã todos vão retornar para seus trabalhos e a vida voltará a golpeá-los novamente. Este mundo é duro, e para os cristãos pode tornar-se ainda mais duro. No fim de semana, as pessoas entram na igreja vendadas e sangrando para ser curadas e enviadas de volta para a batalha. Precisamos de apoio. O mundo dos negócios é duro. É difícil ser cristão em uma escola. É difícil ter atitudes cristãs em uma sociedade na qual tudo o que nos rodeia nos diz: "Não! Não viva para Cristo, viva para você mesmo!".

> Quando estamos em um grupo pequeno, de modo diferente do que quando brincamos de cavaleiro solitário, somos menos vulneráveis aos ataques de Satanás.

4. Os líderes reafirmam o seu povo

• **Reafirme seu povo**

Fiz uma rápida inspeção e imediatamente disse aos nobres, aos oficiais e ao restante do povo: Não tenham medo deles. Lembrem-se de que o SENHOR é grande e temível e lutem por seus irmãos, por seus filhos e por suas filhas, por suas mulheres e por suas casas.[12]

Neemias reuniu os seus. Aliviou seus temores, reforçou sua confiança e lhes levantou o moral. Essa é a tarefa do líder. Quando seu negócio,

[12] Neemias 4.14.

sua família ou sua igreja estão sob ataque, sua tarefa como líder consiste em dar novas forças a seu povo. Levante-os! Encoraje-os e mantenha-se na luta. Diga que Deus está do seu lado. Não tenha medo!

"Lembrem-se de que o Senhor é grande e temível", disse-lhes Neemias. Dele é que vem nossa segurança. Lembre-se do Senhor!

É interessante observar que são muitas as guerras que empregaram lemas que começavam com a expressão "lembrem-se". A guerra dos Estados Unidos e da Espanha teve o lema "Lembrem-se de Maine". A Primeira Guerra Mundial: "Lembrem-se de Lusitânia". Os texanos continuam dizendo ainda hoje: "Lembrem-se do Álamo". E na Segunda Guerra Mundial se dizia: "Lembrem-se de Pearl Harbor". Todos esses gritos de batalha baseavam-se em alguma derrota grande, digna de ser recordada.

É bom que nos recordemos das lições do passado, mas Neemias focou as coisas de maneira oposta. Não disse: "Lembrem-se da nossa derrota. Lembrem-se do nosso exílio na Babilônia". O que ele disse foi: "Lembrem-se do Senhor!". Sua mensagem foi: "Olhem para o futuro. Deus é nossa esperança! Tiremos nossos olhos dos nossos inimigos para colocá-los no Senhor, nosso vencedor".

Quando estiver sofrendo um ataque, a meta do Diabo é que sua atenção esteja colocada na oposição. Se ele conseguir isso, terá ganhado a batalha. Você pode escolher: você pode focar a oposição, ou Deus. Você pode focar sua situação financeira, ou o Senhor. Pode focar os juros altos, ou o Pai. Pode focar a economia flutuante, ou o Rei do Universo. O que você vai escolher?

"Lembrem-se de que o Senhor é grande e temível."

Lembre-se de como Deus é. Ele é grande, é maravilhoso! Quando alguém teme a Deus, quando lhe tem reverência e respeito, e reconhece seu poder, não teme nada mais.

O temor ao Senhor substitui o temor ao homem.

Eu digo a vocês, meus amigos: Não tenham medo dos que matam o corpo e depois nada mais podem fazer. Mas eu mostrarei a quem vocês devem temer: temam àquele que, depois de matar o corpo, tem poder para lançar no inferno. Sim, eu digo a vocês, a esse vocês devem temer.[13]

---

[13] Lucas 12.4,5.

Se você mantém um respeito saudável por Deus; se o reverencia e percebe quão poderoso ele é, não terá problemas ao temer outras pessoas.

> O temor ao Senhor substitui o temor ao homem.

Então, Neemias os exortou: "lutem por seus irmãos, por seus filhos e por suas filhas, por suas mulheres e por suas casas". Exortou-os a lutar pela sua vida. Era preciso que eles percebessem que estavam arriscando tudo por tudo.

> Então eu disse aos nobres, aos oficiais e ao restante do povo: A obra é grande e extensa, e estamos separados, distantes uns dos outros, ao longo do muro.[14]

Ele sabia que o povo responderia diante de algo tão palpável. Por isso o toque da trombeta era seu sinal de reunião... um sinal destinado a fazer que se sentissem seguros.

5. Os líderes negam-se a abandonar seu labor

• Negue-se a abandonar seu labor

Siga em frente. Não existe nada que possa substituir a perseverança. O talento não a substitui, não há nada mais comum do que os homens com talento que fracassam. O gênio não a substitui, o gênio mal recompensado é quase proverbial. Os estudos tampouco a substituem; o mundo está cheio de incompetentes com estudo. Somente a perseverança e a firmeza constituem o poder que vence tudo.

CALVIN COOLIDGE
presidente dos Estados Unidos de 1923 a 1929

> Quando os nossos inimigos descobriram que sabíamos de tudo e que Deus tinha frustrado a sua trama, todos nós voltamos para o muro, cada um para o seu trabalho.[15]

As hostilidades existem. Por todos os lados há críticos dedicados a ridicularizar e espalhar rumores. Precisamos reconhecer esta realidade e seguir em frente, tal como fizeram Neemias e os israelitas.

---

[14] Neemias 4.19.
[15] Neemias 4.15.

Recuse distrair-se. Há um ditado que é muito velho e muito verdadeiro: "Quando caminhar se torna duro, são duros os que caminham".

Todos juntos planejaram atacar Jerusalém e causar confusão.[16]

Esse é o primeiro alvo dos inimigos: provocar confusão.
Este é o segundo:

E os nossos inimigos diziam: "Antes que descubram qualquer coisa ou nos vejam, estaremos bem ali no meio deles; vamos matá-los e acabar com o trabalho deles".[17]

A meta de toda hostilidade é criar obstáculos para o seu trabalho até paralisá-lo. O inimigo quer que você renuncie. Este é o momento em que devemos dizer: "De forma alguma!", e continuar trabalhando, aconteça o que acontecer.

Dessa maneira prosseguimos o trabalho com metade dos homens empunhando espadas desde o raiar da alvorada até o cair da tarde. Naquela ocasião, eu também disse ao povo: Cada um de vocês e o seu ajudante devem ficar à noite em Jerusalém, para que possam servir de guarda à noite e trabalhar durante o dia. Eu, os meus irmãos, os meus homens de confiança e os guardas que estavam comigo nem tirávamos a roupa, e cada um permanecia de arma na mão.[18]

Quando estamos sob ataque, é o momento de nos mantermos unidos. Neemias abriu o caminho; era ele quem havia estabelecido o ritmo para a obra que estavam fazendo. Não tinha medo de ser o protótipo: sofrer as mesmas provações que o povo sofria, e enfrentar os mesmo perigos.

Os líderes são modelos de perseverança.

O líder é o último a se entregar; o último a abandonar o barco. O líder se recusa a se render.

Que meta ou sonho o inimigo quer que você abandone?

Em que área ele está sussurrando em seu ouvido: "Abandona! Nunca você vai conseguir nada?". Trata-se do esforço de ler toda a Bíblia em

---

[16] Neemias 4.8.

[17] Neemias 4.11.

[18] Neemias 4.21-23.

um ano? Ou dessa profissão que você sempre quis exercer? De um sonho? Do seu casamento? De uma ideia? De um ministério na igreja?

Você precisa seguir em frente!

Um dia, Satanás fez um bazar e vendeu todas as ferramentas que havia usado durante anos. Num canto, porém, estava uma à qual ele dava um valor especial e, por isso, colocou um preço maior do que todas as outras juntas. Na verdade não queria vendê-la. A ferramenta era o desânimo. Ele sabia que essa ferramenta tinha funcionado todas as vezes que ele a havia usado. Então, ficou com ela.

> Os líderes são modelos de perseverança.

Talvez ele nunca o engane, nem o tente pela imoralidade, mas, sim, ele pode desanimá-lo. Satanás sabe que um cristão desanimado é um cristão inútil. Quando deixamos que o desânimo vença, é porque desviamos os olhos do Senhor para focar as circunstâncias. Uma vez que Satanás nunca vendeu essa ferramenta, ainda a utiliza nos dias de hoje.

Quando nos damos por vencidos, o Diabo ganha.

Não se dê por vencido!

Certa ocasião, um cristão desconhecido escreveu:

Não me renderei[19]

Desejo abandonar, mas não o farei.
Pois de dia e de noite,
Por Deus e pelo bem,
Ainda há batalhas para lutar.

Desejo abandonar, mas não o farei,
Ainda que me sinta enfermo, e é verdade,
Preocupado e sem ânimo, eu sei,
Cansado e abatido e tudo o mais,
A mim mesmo me alento: não o farei!

Não poderia me render. Nunca, jamais!
Não verei minha armadura no chão
Não me verei desfalecendo, derrotado,
Desejo abandonar, mas não o farei.

---

[19] Traduzido e adaptado por Esteban Fernández.

Que seja esse o meu clamor e meu cântico
Que Deus me fortaleça ao andar
Para continuar lutando contra o mal.
Ainda que deseje me render, não o farei!

A perseverança é a prova máxima da liderança. É a prova do ácido.

O que você faz quando o caminho se torna duro? Como você conduz as coisas quando alguém zomba de você por ser cristão? Talvez suas palavras firam você, mas não podem detê-lo. O segredo do sucesso consiste simplesmente em durar mais do que os seus críticos.

Lembre-se: o carvalho é só uma pequena noz que se recusou a ceder. Você não precisa ser um gênio; só precisa se manter firme. Com o tempo, você vai continuar além dos seus críticos. Não existe nada que o Diabo mais queira fazer do que nos atrasar, nos deter, e nos colocar em ponto morto.

Você fica tentado a voltar atrás com respeito a algo que Deus pediu que você fizesse? As hostilidades vêm aos montes. Talvez, na sua vida, você esteja num desses momentos de maré baixa, mas essa maré voltará a subir. Não se dê por vencido!

Resista ao desalento.

Siga adiante.

Nunca se dê por vencido.

Pai celestial, tu dizes em tua palavra que não devemos ignorar as maquinações de Satanás. Devemos dar-nos conta de que a fonte desta hostilidade é o Diabo, essa serpente antiga. Sabemos que ele nos quer ridicularizar e organizar a resistência contra nós. Ele usa os rumores e outras ferramentas que têm em seu arsenal para nos desalentar. Senhor, quando estivermos desalentados, quer seja por fadiga, quer seja por frustração, por algum fracasso ou por temor, ajuda-nos a reconhecer a causa. Ajuda-nos a apoiar-nos em ti. Lembra-nos que não devemos subestimar a hostilidade contra nós por sermos cristãos; por sermos líderes. Ajuda-nos a nos darmos conta de que essas hostilidades são na realidade um privilégio, já que nos permitem compartilhar teus sofrimentos. Ajuda-nos a reforçar nossos aspectos débeis pelo poder de teu Santo Espírito. Ajuda-nos a renovar e encorajar as pessoas que nos rodeiam. E, sobretudo, ajuda-nos a nunca nos rendermos... porque o fazemos por Jesus. Em seu nome oramos. Amém.

GUIA PARA APLICAÇÃO DO PRINCÍPIO 6

Como um líder enfrenta seus opositores

Aplicando os propósitos de Deus

Alguma vez você esteve rodeado de pessoas que conspiravam contra você?

Comunhão – É duro ser cristão no mundo moderno, não importa onde vivamos. O apoio de outros cristãos é essencial para nossa sobrevivência. Quando você está batalhando contra a oposição, do que você necessita é apoio.

- Como o grupo de crescimento ou célula pode evitar que você desmorone?
- Como nosso mundo poderia ser diferente se todos os líderes políticos e sociais tivessem acesso a um grupo de crescimento?
- Se você ainda não pertence a um grupo de crescimento ou célula, integre-se a um. Se você já pertence a um, agradeça a Deus pelo apoio e alento disponível.

Discipulado – Reconhecer as táticas do inimigo requer maturidade e experiência.

- Quais os passos que você pode dar para se fortalecer diante do ataque inimigo?
- Como você pode se preparar para alcançar a fortaleza e o discernimento necessários para ser um líder eficaz?
- Comprometa-se com o próximo passo e se prepare agora.

Ministério – Quando um líder sustenta seus liderados, está ministrando a eles.

- Você está apoiando as tropas, acalmando seus medos e elevando o moral de seu grupo com regularidade? Se não é assim, trate de fazer isso e observe a diferença que isso faz.
- Como líder cristão, quem é a sua fonte de confiança?
- Como você pode transmitir essa confiança a seu grupo?

Evangelismo – Se há algo de que podemos estar seguros é que o Diabo não quer que tenhamos êxito em alcançar ao mundo para Cristo.

- Que tipo de oposição você enfrenta em seus esforços de compartilhar Cristo com os demais?
- A oposição pode vir de fora, mas também de nossos pensamentos, dúvidas e temores.
- Como você pode reconhecer as táticas do inimigo, reforçar os pontos débeis e recusar-se a renunciar?

Adoração – Quando Neemias se sentiu frustrado, falou com Deus. Disse-lhe o que estava acontecendo e pediu ajuda. A busca instintiva de Neemias em Deus responde a seu hábito regular de ter um tempo com o Senhor.

- Você investe tempo com Deus diariamente, fortalecendo-se contra o ataque do inimigo?
- Quando o fizer, refletirá o caráter de Cristo para os que você lidera.
- Assegure-se de planejar regularmente o tempo com o Senhor. Dê a ele a primeira parte de seu dia, diariamente.

PONTOS PARA REFLEXÃO

A que seu inimigo quer que você renuncie? Uma vez que você o saiba, resista e não se renda. Lembre-se de que o segredo para sobreviver é superar as críticas. Pense nisso na próxima vez que vir uma pequena semente e não deixe de continuar crescendo.

Os líderes devem encarar a oposição e lidar com conflitos. O que fazer quando os membros do grupo não se dão bem? Como administrar a sabotagem interna é o próximo aspecto de liderança que estudaremos.

CAPÍTULO 7

Como um líder resolve os conflitos

Quando o inimigo ataca sua liderança, usa a trapaça, o desânimo e os perigos. Mas isso não é tudo. A sua linha de ataque seguinte também inclui os conflitos internos. A divisão e a discórdia são armas que as pessoas usam para lutar entre si, e só as tornam ineficazes.

A sabotagem interna é um dos piores problemas que um líder pode enfrentar. É como a traição! Satanás fica encantado com isso. Ele adora dividir e vencer. Uma das primeiras armas que utiliza é o dinheiro. Os conflitos causados pelas finanças são mais que qualquer outra coisa.

As estatísticas mostram que a maioria dos divórcios tem a ver com problemas financeiros. O inimigo gosta de destruir os casamentos, a instituição na qual Deus nos ensina a relação que há entre Cristo e a Igreja.

Os problemas internos destroem mais que qualquer pressão externa. Satanás se dedica a destruir igrejas.

Se uma casa estiver dividida contra si mesma, também não poderá subsistir.[1]

Você já viu como uma equipe de futebol se autodestrói? Quando há uma equipe de jogadores arrogantes no campo, isso pode acontecer. No lugar de batalhar contra a equipe oposta, lutam entre si. As divisões podem acontecer onde quer que haja duas pessoas ou mais. Nós, seres humanos, temos a tendência de querer as coisas à nossa maneira.

Os conflitos não resolvidos detêm a obra do Senhor em nossa vida. Isso é verdade em seu negócio, em seu matrimônio, em sua igreja e em qualquer lugar onde haja pessoas que se relacionam entre si. O líder tem

---

[1] Marcos 3.25.

AS CAUSAS DOS CONFLITOS

de aprender a resolver os conflitos. Nestas páginas, veremos a canalização dos conflitos e a arte de enfrentá-los. Veremos primeiro as causas, e depois aplicaremos a solução.

AS CAUSAS DOS CONFLITOS

Naqueles dias, o povo gastava semanas trabalhando nas muralhas. Como eles focaram suas energias principalmente ali, não cultivaram suas hortas. A consequência era que a comida estava acabando.

Ora, o povo, homens e mulheres, começou a reclamar muito de seus irmãos judeus. Alguns diziam: "Nós, nossos filhos e nossas filhas somos numerosos; precisamos de trigo para comer e continuar vivos".[2]

Havia muitas bocas para alimentar e não tinha comida suficiente para todos. Havia inflação, preços altos e escassez de alimentos.

Talvez nos perguntemos: se eles estavam fazendo a obra do Senhor, por que ele permitiu que houvesse escassez? Creio que o fato de fazer a obra do Senhor não nos isenta dos problemas comuns da vida. Só porque estamos fazendo o que devemos, isso não significa que nosso carro não vai quebrar. O fato de estar dedicados ao ministério não vai evitar as enfermidades graves ou outros problemas. Talvez não saibamos sempre exatamente o porquê, mas podemos, sim, saber que o propósito de Deus é que cresçamos sempre.

Outros diziam: "Tivemos que penhorar nossas terras, nossas vinhas e nossas casas para conseguir trigo para matar a fome".[3]

Suas casas estavam hipotecadas ao máximo. Eles estavam em uma escravidão financeira, tirando dinheiro de suas casas e hipotecando-as cada vez mais, só para pôr comida na mesa.

E havia ainda outros que diziam: "Tivemos que tomar dinheiro emprestado para pagar o imposto cobrado sobre as nossas terras e as nossas vinhas".[4]

[2] Neemias 5.1,2.
[3] Neemias 5.3.
[4] Neemias 5.4.

O terceiro problema eram os impostos elevados. Aquelas pessoas pediam dinheiro emprestado só para pagar os impostos.

> Apesar de sermos do mesmo sangue dos nossos compatriotas, e de nossos filhos serem tão bons quanto os deles, ainda assim temos que sujeitar os nossos filhos e as nossas filhas à escravidão. E, de fato, algumas de nossas filhas já foram entregues como escravas e não podemos fazer nada, pois as nossas terras e as nossas vinhas pertencem a outros. [5]

Estavam tão atolados em dívidas que venderam membros da família só para sobreviver. Para pagar as dívidas, eles eram obrigados a entregar seus filhos para trabalhar como escravos. Os impostos elevados, a quantidade de hipotecas, os preços altos, o trabalho forçado durante um número excessivo de horas... isso se parece com a seção de negócios dos jornais de hoje. A Bíblia é atual! No entanto, aqueles tempos difíceis não eram a raiz do problema.

O primeiro versículo diz: "o povo, homens e mulheres, começou a reclamar muito de seus irmãos judeus". Eles se queixavam entre eles mesmos. Os judeus ricos estavam explorando os judeus pobres em um tempo de grande crise. Aproveitavam-se do infortúnio dos pobres e geravam capital com ele. Os que tinham dinheiro e comida diziam: "Se me vender sua casa, dou-lhe comida. Posso emprestar-lhe dinheiro, mas com juro alto. E, se você não puder pagar o empréstimo, levarei seus filhos como garantia de pagamento". Exploravam-se entre eles mesmos.

Em lugar de ajudar e dar aos pobres, estavam emprestando o dinheiro com altos juros, ficando com as casas e levando os filhos como escravos. Havia uma desconsideração total com o infortúnio dos outros. A única preocupação era: "Que vantagem posso tirar deste problema?".

Essa forma de conduta era claramente contrária à lei de Deus. Em Êxodo 22.25, a Palavra diz que os judeus não podiam emprestar dinheiro a juros uns aos outros. Poderiam cobrar juros a outros, mas não entre si. A Bíblia diz também que um judeu não pode escravizar outro judeu. A pessoa rica poderia contratar uma pessoa pobre para que trabalhasse para ela, mas a escravidão entre eles estava proibida. Aqueles judeus ricos estavam

---

[5] Neemias 5.5.

violando clara e abertamente a vontade de Deus: adquirindo ganhos, explorando e enriquecendo à custa da fome alheia. No meio do programa de construção, havia surgido um conflito entre os que *tinham* e os que *não tinham*.

A raiz dos conflitos internos e da discórdia sempre está no egoísmo.

De onde vêm as guerras e contendas que há entre vocês? Não vêm das paixões que guerreiam dentro de vocês?[6]

Os conflitos sempre têm a ver com o egoísmo. *Sempre*!

Quando há um conflito entre o que eu quero e o que você quer, temos um problema, e esse problema, se não é resolvido, acaba em conflitos e divisões.

> A raiz dos conflitos internos e da discórdia sempre está no egoísmo.

Trabalhar com pessoas é a maior satisfação para um líder e também sua maior frustração.

As pessoas tendem a ser egoístas, e isso inclui você e eu.

Queremos as coisas do nosso modo. Queremos *fazer* o que queremos *fazer*.

Entretanto, o que queremos nem sempre é o melhor. Imagine o que seria viver com uma dieta de sorvete. Eu gostaria. No entanto, minha saúde sofreria. O egoísmo sempre causa conflitos.

A SOLUÇÃO PARA O CONFLITO

Neemias sabia que tinha um sério problema nas mãos. Todo o seu projeto poderia ruir, e os muros nunca seriam reconstruídos. Os judeus estavam explorando uns aos outros, brigando uns contra os outros, e famílias contra famílias. Aquilo era pior do que brigar contra um inimigo. O fato de existir um inimigo comum muitas vezes reúne os soldados e cria unidade. Quando, porém, estamos brigando entre nós, a nossa equipe se destrói.

> Trabalhar com pessoas é a maior satisfação para um líder e também sua maior frustração.

---

[6] Tiago 4.1.

PRIMEIRO PASSO — Ire-se

Quando ouvi a reclamação e essas acusações, fiquei furioso.[7]

Se você, como líder, vê que a harmonia do seu grupo é ameaçada de alguma forma, você deve se aborrecer. Seu papel como líder é proteger a harmonia. Neemias não subestimou o problema que estava dividindo sua equipe. Ele o levou a sério.

> Quando estamos brigando entre nós, a nossa equipe se destrói.

Algumas vezes é adequado irar-se. Há ocasiões em que o correto é isso. Neemias não estava *apenas* aborrecido, o versículo diz que ele se aborreceu e *muito*.

Quando vocês ficarem irados, não pequem.[8]

Deus autoriza a ira. Ele se ira. Jesus se irou. Você pode irar-se sem pecar. Quando vir a falta de harmonia causada pelo egoísmo, como líder, o melhor que você pode fazer é irar-se. Seja como Neemias: leve isso a sério. Há um tipo de ira correto e outro incorreto. Ser líder consiste em conhecer a diferença entre um e outro.

Neemias não estava irado por nenhum dano ou injustiça contra a sua pessoa. Não estava devolvendo o golpe porque lhe haviam ferido o ego. Ele não estava motivado por uma revanche. Essa ira teria sido do tipo incorreto. Sua ira era uma indignação justificada. Estava aborrecido por causa do egoísmo e da exploração por parte daqueles ricos. Estava furioso ao ver que a cobiça e o egoísmo deles poderiam chegar a deter o projeto de reconstrução dos muros. "Para que servem os muros, se os que vivem dentro deles estão enganando uns aos outros?", pensava.

> Seu papel como líder é proteger a harmonia.

Como povo de Deus, precisamos nos irar contra o pecado.

Diariamente, entramos em contato com tantas tragédias humanas que temos experimentado o que alguns chamam de "fadiga da compaixão". Depois de ter sentido pena por tantas vítimas das inundações,

---

[7] Neemias 5.6.

[8] Efésios 4.26a.

dos terremotos e das guerras, simplesmente não podemos encontrar a identificação que sabemos que deveríamos ter para outras novas vítimas. Pior que a fadiga da compaixão é a fadiga da indignação. Muitos de nós parecem ter perdido a capacidade de irar-se tanto quanto deveriam com as mentiras, o engano e o roubo. Permanecer indiferente para o mal, encolher os ombros diante dele e rir são os sintomas de uma avançada degeneração do sentido da moralidade. É como se alguém tivesse dado uma dose gigantesca de novocaína* à nossa consciência nacional.

LOUIS COSSELL

O líder necessita ter fogo em seus ossos. Não há nada que indigne mais um líder que as divisões. Na Igreja Saddleback, essa é a única coisa que realmente me enfurece. Sinto ciúmes pela harmonia em minha igreja. Sinto ciúmes pela unidade nela.

> Há um tipo de ira correto e outro incorreto. Ser líder consiste em conhecer a diferença entre um e outro.

O que aqueles construtores de muros menos precisavam era de uma luta interna. Já tinham bastante com o que vinha de fora.

SEGUNDO PASSO – Tome tempo para refletir: pense antes de falar

Fiz uma avaliação de tudo e então repreendi os nobres e os oficiais, dizendo-lhes: "Vocês estão cobrando juros dos seus compatriotas!" Por isso convoquei uma grande reunião contra eles [...].[9]

> O líder necessita ter fogo em seus ossos.

A Bíblia faz a seguinte paráfrase destas palavras: "Fiz uma avaliação de tudo e então repreendi os nobres e os oficiais". Os oficiais do governo eram os que estavam literalmente roubando aos demais. A palavra hebraica usada aqui significa literalmente "consultei a mim mesmo".

---

[9]   Neemias 5.7.
*   Anestésico atóxico, sem efeito narcótico, usado principalmente para anestesia local. [N. do R.]

A primeira reação de Neemias foi irar-se, mas manteve uma longa conversa com ele mesmo antes de ceder à consequência dessa raiva. Ele buscou um lugar para estar sozinho com Deus, orou a respeito da situação e refletiu muito sobre ela. Sabia que necessitava ter a perspectiva correta. Quando a raiva se baseia nas emoções, ela pode produzir muito estrago. Neemias planejou sua resposta e consultou Deus. O que você quer que eu diga, Senhor? E falou extensamente de si para si. Algumas vezes, o líder precisa conversar com ele mesmo, em vez de piorar a questão, envolvendo outra pessoa. Necessitamos compreender o que provocou nossa ira.

> Tome tempo para refletir: pense antes de falar.

Antes de agir com ira, separe algum tempo para refletir sobre o problema. Quando estamos irados, nossa primeira reação pode ser errada. Você já cometeu alguma vez esse erro?

Você deve se irar somente quando vir que o egoísmo é um obstáculo à obra de Deus ou que a danifica. Essas são as coisas pelas quais você deve se irar. No entanto, você deve se certificar de separar um tempo para orar e pensar antes de falar. Do contrário, talvez tenha de se lamentar por ter falado.

> Meus amados irmãos, tenham isto em mente: Sejam todos prontos para ouvir, tardios para falar e tardios para irar-se, pois a ira do homem não produz a justiça de Deus.[10]

Tiago oferece o antídoto. Não é uma contradição; o que ele faz, na realidade, é esclarecer a indicação de Paulo: "Quando vocês ficarem irados, não pequem". Há uma diferença entre a ira do homem e a de Deus. Quando nos iramos, atuamos para nos vingar. Quando nos iramos com a ira de Deus, atuamos com justiça. Nossa atuação não compreende nenhuma vingança pessoal. Não se ire porque o feriram, irritaram, frustraram ou desiludiram. Essa é uma classe errada de ira: a egoísta. Nem sempre as pessoas estarão

> Quando estamos irados, nossa primeira reação pode ser errada.

---

[10] Tiago 1.19,20.

à altura das nossas expectativas, mas isso não é razão para uma ira justa. Afinal de contas, Deus já sabe que vamos decepcioná-lo e, apesar disso, continua nos amando. Ire-se com a ira de Deus e não com a sua.

> Quando nos iramos, atuamos para nos vingar. Quando nos iramos com a ira de Deus, atuamos com justiça.

Se você está sempre pronto para ouvir e é tardio para falar, "ser lento para a ira" vai ser algo natural. E depois de ter refletido bem nas coisas, a ira que terá vai ser a justa. Você se alegrará de não haver dito a primeira coisa que veio à mente.

A ira impulsiva sempre põe você em problemas. Tenho visto como muitos líderes, embora sejam excelentes em outro aspecto, prejudicam a eficácia de seu trabalho em virtude de uma reação impulsiva de ira momentânea. Pense antes de falar.

TERCEIRO PASSO — Repreenda: confronte em particular aquele que o ofendeu

Quando houver um problema que precise de solução, vá diretamente à fonte. Não perca tempo tentando procurar outras pessoas que o apoiem. Não diga: "Tenho um pedido de oração...". Todos nós sabemos que isso muitas vezes não é nada mais que uma murmuração santificada. Vá diretamente à pessoa com a qual você tem um problema.

> Fiz uma avaliação de tudo e então repreendi os nobres e os oficiais, dizendo-lhes: "Vocês estão cobrando juros dos seus compatriotas!" Por isso convoquei uma grande reunião contra eles.[11]

> A ira impulsiva sempre põe você em problemas.

Se alguém o ofendeu, e você vai falar primeiramente com outra pessoa, você já pecou. Neemias acusava-os de usura: um empréstimo com juros exorbitantes. Estava irado, mas, depois de ter orado e de pensar bem, foi diretamente aos que estavam ofendendo a Deus.

> Se o seu irmão pecar contra você, vá e, a sós com ele, mostre-lhe o erro. Se ele o ouvir, você ganhou seu irmão. Mas, se ele não o ouvir, leve consigo mais

[11] Neemias 5.7.

um ou dois outros, de modo que "qualquer acusação seja confirmada pelo depoimento de duas ou três testemunhas". Se ele se recusar a ouvi-los, conte à igreja; e se ele se recusar a ouvir também a igreja, trate-o como pagão ou publicano.[12]

Isso é o que Jesus disse sobre como canalizar os conflitos, onde quer que estejamos. Temos de amar ao que pecou. Para ser como Neemias, ou como Jesus, necessitamos amar inclusive os pagãos e os arrecadadores de impostos. O bom é que não precisamos tratá-los como se fossem nossa família. Essa é a diferença entre aceitação e aprovação.

E, quanto a seu grupo ou equipe, envolva os demais somente quando for necessário. Vá primeiramente ver a pessoa com a qual está tendo o conflito ou que está causando o problema. Se essa pessoa é seu chefe, procure resolver em particular. Se isso não funcionar, leve alguém que sirva de testemunha ou de mediador. E, se isso não funcionar ainda, então envolva um grupo maior. Se você for a alguma outra pessoa antes, estará pecando.

> Reflita antes de falar.

Quando Neemias disse: "Fiz uma avaliação de tudo e então repreendi [...]", não estava falando de uma simples visita social. Estava irado pelo fato de aqueles egoístas estarem fazendo negociatas com os outros. Não subestimou a importância do problema, confrontou-o.

QUARTO PASSO — Confronte o ofensor em particular

Ninguém gosta de enfrentar outras pessoas. Eu gostaria de agradar a todo mundo. Você não gostaria também? Claro que sim. Ninguém deseja desagradar às pessoas. Ninguém quer causar sentimentos negativos. No entanto, algumas vezes é necessário um confronto para o bem de todos. Tenho aprendido que, se não enfrento o problema, fica pior. Os problemas que se ignoram não melhoram. Também tenho aprendido que quanto mais espero para o confronto, mais coragem eu precisarei.

> Os problemas que se ignoram não melhoram.

Você já percebeu como se deteriora o moral de um escritório quando há pessoas que fazem todos os outros sofrer? Como o gerente não quer

---

[12] Mateus 18.15-17.

enfrentar o conflito, o causador de intrigas e suas venenosas atitudes se apoderam de todo o escritório.

Você já viu como se destrói uma família porque os pais temem disciplinar os filhos? O amor forte exige que confrontemos em particular quem cometeu a ofensa.

Os líderes devem ter a coragem de confrontar.

Para tornar-se um líder eficaz, é *preciso* que você desenvolva essa habilidade. Aprenda a dizer a verdade com amor.

Ser líder exige valentia. Não se trata de um concurso de popularidade, pois nem mesmo Deus pode agradar a todo o mundo. O líder deve ter o valor necessário para dizer: "Não me importa o que aconteça, porque isso deve ser feito. Vou enfrentar o assunto. Para o bem da organização, tenho de resolver isso". Foi o que Neemias fez. E é o que você precisa fazer, se quer ser como ele.

> Os líderes devem ter a coragem de confrontar.

> Quanto àquele que provoca divisões, advirta-o uma primeira e uma segunda vez. Depois disso, rejeite-o. Você sabe que tal pessoa se perverteu e está em pecado; por si mesma está condenada.[13]

Aos pastores e aos líderes se lhes ordena que admoestem os que causam problemas. Tenho visto líderes que não confrontaram a pessoa que causou divisão, temendo que essa pessoa fosse embora. Os problemas, a longo prazo, se tornaram maiores devido à falta de confronto. Três vezes tive de dizer a alguém: "Ou você se conserta, ou vai embora!". Em duas dessas vezes, eles se foram, e, na outra, a pessoa consertou-se. O confronto é tarefa dos líderes.

> O confronto é tarefa dos líderes.

Quando essas duas pessoas foram embora da nossa igreja, eu sofri durante semanas. Isso aconteceu anos atrás, e hoje, ao lembrar isso, reconheço que foi uma das decisões mais sábias que tomei.

Confronte em particular o ofensor.

---

[13] Tito 3.10,11.

Quinto passo — Determinação: confronte
em público as divisões públicas

Obviamente, em Jerusalém todos sabiam que os ricos estavam enganando os pobres. Era mister confrontar esse pecado em público. Confronte as coisas publicamente até que se tornem conhecidas. Caso se trate de um pecado pessoal, confesse-o pessoalmente diante de Deus. Se for um pecado entre você e outra pessoa, confesse-o em particular. Se você ofendeu a toda a comunidade, terá de enfrentar isso publicamente.

> Fiz uma avaliação de tudo e então repreendi os nobres e os oficiais, dizendo-lhes: "Vocês estão cobrando juros dos seus compatriotas!" Por isso convoquei uma grande reunião contra eles e disse: Na medida do possível nós compramos de volta nossos irmãos judeus que haviam sido vendidos aos outros povos. Agora vocês estão até vendendo os seus irmãos! Assim eles terão que ser vendidos a nós de novo! Eles ficaram em silêncio, pois não tinham resposta.[14]

Neemias repetiu em público o que havia dito em particular aos ofensores. Para aquele homem, que havia usado suas riquezas para libertar escravos judeus quando era copeiro na Pérsia, aquela maneira de se comportar não fazia sentido. "Por que estão tratando dessa forma os próprios irmãos e irmãs?", perguntou-lhes em público. "Vocês sabem o que diz a Palavra de Deus? Levítico diz que é ilegal o que estão fazendo, então, por que o fazem?" Eles não puderam responder.

Você crê que Neemias tenha ficado nervoso naqueles momentos? Precisou de grande coragem para fazer o que fez, confrontando em público os líderes da cidade. Estava repreendendo aqueles dos quais dependia para que custeassem a reconstrução dos muros.

É provável que naquele mesmo momento o Diabo estivesse lhe dizendo: "Neemias, se você convocar essa reunião pública e perder o apoio deles, quem vai pagar os muros? Nunca irá terminar o projeto. E, então, o que o povo vai pensar de Deus?".

Ele sabia que estava se arriscando, mas era o que devia fazer. Ainda mais, era o que devia ser feito. Se isso significasse paralisar a obra durante

---

[14] Neemias 5.7,8.

alguns dias enquanto enfrentavam esse pecado, que assim fosse. essa atitude mostra a integridade de Neemias.

> Por isso prossegui: O que vocês estão fazendo não está certo. Vocês devem andar no temor do nosso Deus para evitar a zombaria dos outros povos, os nossos inimigos.[15]

Neemias apelou para a consciência deles, mostrando que o que estavam fazendo colocava Deus em uma má situação diante dos descrentes. Era um mau testemunho. A discórdia sempre foi um testemunho pobre. Quando o conceito da igreja é de que nela existem divisões, ela perde a eficácia.

> Eu, os meus irmãos e os meus homens de confiança também estamos emprestando dinheiro e trigo ao povo. Mas vamos acabar com a cobrança de juros! Devolvam-lhes imediatamente suas terras, suas vinhas, suas oliveiras e suas casas, e também os juros que cobraram deles, a centésima parte do dinheiro, do trigo, do vinho e do azeite.[16]

A taxa de juro era de 1% ao mês. Um por cento ao mês equivale a 12% ao ano. Para alguns, talvez, não pareça um juro muito alto, mas naquela época era enormemente alto. Neemias estava exortando aquelas pessoas a ver o erro dos seus caminhos e fazer restituição imediata.

> Quando o conceito da igreja é de que nela existem divisões, ela perde a eficácia.

A exortação funcionou. Os ricos que exploraram os pobres se arrependeram.

> E eles responderam: "Nós devolveremos tudo o que você citou, e não exigiremos mais nada deles. Vamos fazer o que você está pedindo". Então convoquei os sacerdotes e os fiz declarar sob juramento que cumpririam a promessa feita.[17]

Neemias deve ter suspirado de alívio. Havia corrido um grande risco ao desafiar aqueles ricos proprietários. Não quis mais se arriscar.

[15] Neemias 5.9.
[16] Neemias 5.10,11.
[17] Neemias 5.12.

Não estava disposto a aceitar somente a palavra deles, então os fez jurar em público. Fez que firmassem um contrato.

Usando o drama em seu favor, deu-lhes uma lição objetiva que o povo não esqueceria facilmente.

> Também sacudi a dobra do meu manto e disse: Deus assim sacuda de sua casa e de seus bens todo aquele que não mantiver a sua promessa. Tal homem seja sacudido e esvaziado! Toda a assembleia disse: "Amém!", e louvou o SENHOR. E o povo cumpriu o que prometeu.[18]

As vestes masculinas daqueles dias incluíam um avental (provavelmente diferente do que os cozinheiros usam nos dias de hoje). Neemias tomou o seu, sacudiu-o e disse: "Este é um símbolo do que Deus vai fazer com vocês se não cumprirem o que prometeram. Ele vai sacudi-los tão fortemente que vocês vão perder tudo o que possuem". Foi uma lição objetiva visual com a qual confrontou publicamente a divisão dentro do Corpo.

SEXTO PASSO — O reforço: mostre desprendimento

> Além disso, desde o vigésimo ano do rei Artaxerxes, quando fui nomeado governador deles na terra de Judá, até o trigésimo segundo ano do seu reinado, durante doze anos, nem eu nem meus irmãos comemos a comida destinada ao governador. Mas os governantes anteriores, aqueles que me precederam, puseram um peso sobre o povo e tomavam dele quatrocentos e oitenta gramas de prata, além de comida e vinho. Até os seus auxiliares oprimiam o povo. Mas, por temer a Deus, não agi dessa maneira. Ao contrário, eu mesmo me dediquei ao trabalho neste muro. Todos os meus homens de confiança foram reunidos ali para o trabalho; e não compramos nenhum pedaço de terra. Além do mais, cento e cinquenta homens, entre judeus do povo e seus oficiais, comiam à minha mesa, como também pessoas das nações vizinhas que vinham visitar-nos. Todos os dias eram preparados, à minha custa, um boi, seis das melhores ovelhas e aves, e a cada dez dias eu recebia uma grande remessa de vinhos de todo tipo. Apesar de tudo isso, jamais exigi a comida destinada ao governador, pois eram demasiadas as exigências que pesavam sobre o povo.[19]

---

[18] Neemias 5.13.
[19] Neemias 5.14-18.

Neemias guiava os outros por meio do seu exemplo. Era o fundamento da sua liderança. Quando pediu ao povo de Jerusalém que reconstruísse os muros, ele foi junto para reconstruir também. Quando pediu que orassem, ele mesmo já havia orado. Quando pediu que trabalhassem de noite e de dia para poder terminar o trabalho, ele também ficava em pé noite e dia trabalhando. Quando pediu que ajudassem os pobres, ele já o tinha feito antes.

Pela sua nomeação como governador, Neemias tinha direito a uma manutenção que nunca reivindicou. O povo estava passando fome. Ele percebia que aceitar comida deles, ainda que fosse correto, teria sido colocar uma carga ainda mais pesada. Ele e os seus servos poderiam ter explorado o povo, como o fizeram outros governantes no passado, mas não o fizeram. Pelo contrário; alimentaram os pobres. Ajudaram os pobres. Ele fez o quanto podia, utilizando suas riquezas pessoais. Deu o exemplo.

Neemias foi modelo de generosidade. Teve o cuidado de dizer isso ao final do informe sobre o conflito, com o fim de fazer uma comparação entre os conflitos e o egoísmo. O egoísmo é a fonte de todos os conflitos. O que lhes disse foi: "Eu não explorei o meu povo, nem tenho me aproveitado do infortúnio dele".

Ele não dizia isso para que o considerassem como alguém superior, mas para ensinar ao povo a maneira correta de viver. Neemias nunca pediu a ninguém que fizesse algo que ele mesmo não estivesse disposto a fazer, ou que já não estivesse fazendo. Podia dizer com a consciência limpa: "Sigam meu exemplo". Isso é uma característica da liderança.

Paulo liderou desta forma.

Tornem-se meus imitadores, como eu o sou de Cristo.[20]

Você pode dizer o mesmo? Por que não? Essa declaração de Paulo não nasce da arrogância. Ele estava mostrando a responsabilidade que os líderes têm. Se não pode falar como Paulo: "Tornem-se meus imitadores, como eu o sou de Cristo", você precisa fazer algumas mudanças na sua vida.

As pessoas seguem modelos. Neemias o sabia, e Paulo também. Paulo estava dizendo: "Pelo menos estou tentando, pelo menos estou

---

[20] 1Coríntios 11.1.

me esforçando". Se você não pode falar isso também, então ainda não está pronto para a liderança. É necessário que possa dizer como Paulo: "Tornem-se meus imitadores, como eu o sou de Cristo".

Os líderes só pedem aos outros que façam o que eles mesmos já estão fazendo.

Esse era o segredo da ousadia demonstrada por Neemias. Assombra-me o fato de que aquele homem confrontou os que estavam explorando os seus vizinhos e os desafiou. Confrontou-os em público. Era um homem íntegro. Como estava dando o exemplo por meio da sua vida, ele tinha todo o direito de dizer: "Por que não estão ajudando os pobres, ao invés de lhes fazer dano?". Se você não pode desafiar ninguém para que siga seu exemplo, qualquer coisa que diga perderá o impacto.

> O egoísmo é a fonte de todos os conflitos.

Como pai, eu não posso desafiar meus filhos, dizendo: "Façam o que eu digo, mas não o que eu faço". Isso não tem nenhuma eficácia. Se eu não posso dizer: "Façam o que faço", o impacto das palavras "façam o que eu digo" não vale nada. As organizações têm menos conflitos quando seus líderes levam uma vida generosa e são modelos de desprendimento.

Cada vez que você levantar algo para Deus, Satanás vai querer derrubá-lo, ou desafiá-lo e impedir que triunfe. Assim como ele tentou deter os muros de Neemias, também fará tudo o que estiver ao seu alcance para atrapalhar e deter o que você estiver fazendo para Cristo. Pode ter certeza. É absolutamente essencial que sua equipe se sinta unida em volta do seu propósito. Já terão dificuldades o suficiente, circunstâncias e problemas que virão de fora. O que menos você precisa é que as pessoas do seu grupo se dediquem a criticar sem motivo, causar problemas e provocar dissensões.

> Os líderes só pedem aos outros que façam o que eles mesmos já estão fazendo.

Qual é a sua responsabilidade? Sua meta de trabalho dentro do Corpo de Cristo está em Efésios 4.3:

> Façam todo o esforço para conservar a unidade do Espírito pelo vínculo da paz.[21]

[21] Efésios 4.3.

Para você ser um líder eficaz, sua prioridade máxima consiste em fomentar a unidade e a harmonia dentro de sua igreja, seu negócio, sua família ou organização. A Bíblia diz que se deve manter a unidade a todo custo.

> As organizações têm menos conflitos quando seus líderes levam uma vida generosa e são modelos de desprendimento.

Onde quer que haja um grupo de pessoas, existirão diferenças internas. Isso é inevitável. Se duas pessoas estão de acordo em tudo, então uma delas está sobrando. Existirão diferenças. Não há equipe nem organização perfeitas... nem mesmo as suas. Espere que os conflitos apareçam, mas leve em consideração que Deus deseja que reduzamos ao mínimo esses conflitos para sua glória, especialmente na igreja.

O testemunho da nossa vida não deve se basear no que tenhamos criado com as nossas mãos, ou falado com nossos lábios, mas no amor que temos manifestado aos outros. Esse é o sinal do líder. Jesus disse:

> Se duas pessoas estão de acordo em tudo, então uma delas está sobrando.

"Com isso todos saberão que vocês são meus discípulos, se vocês se amarem uns aos outros".[22]

Nos cinco primeiros capítulos do livro de Atos, usam-se dez vezes expressões como "uns aos outros" e em "harmonia". Atos insiste dez vezes na unidade que existia no princípio naquele Corpo. E no meio deles se produzia todo tipo de milagre. Quando existe unidade ao estilo de Atos, existe também o poder de Atos, o amor de Atos, e os milagres de Atos.

Vance Abner disse certa ocasião: "Os flocos de neve são frágeis, mas, unidos em número suficiente, podem deter o trânsito". Sozinho, eu não posso fazer muito. Você também não pode fazer muito sozinho. Mas juntos formamos o Corpo de Cristo. E podemos causar impacto. Podem-se atirar cem pedras pequenas numa lagoa, e tudo que se consegue são umas poucas ondas na

> Juntos podemos causar impacto.

água. Juntando-se, porém, todas essas pedras, e, se o que se atira for um grande rocha, conseguem-se grandes ondas.

---

[22] João 13.35.

Como um líder resolve os conflitos

Quando estamos juntos, unificados, nada pode deter o Corpo de Cristo. Unidos somos uma força que é preciso levar em consideração.

O fato de você ter este livro nas mãos e estar lendo estas páginas é um claro indício de que o seu coração busca a Deus. Façamos o pacto de que vamos realizar o que for necessário para guardar a unidade do Espírito por meio do vínculo da paz. Eu desafio você a dizer: "Meu Deus, quero me converter em pacificador. Quero me converter em um funcionário da paz".

> Unidos somos uma força que é preciso levar em consideração.

Onde quer que haja discórdia, semeie a paz. Algumas vezes, é possível que isso exija um confronto. Talvez, durante a reunião do seu grupo, alguém comece a criticar. Alguma pessoa precisa assumir a liderança e dizer: "Posso confrontar você com amor? Tomamos uma direção equivocada. Não deveríamos estar falando assim". Deixe que essa pessoa seja você. Ame o suficiente para confrontar. Diga a verdade com amor.

Pai, dou-te graças pelos que estão lendo este livro e orando comigo neste momento. Dou-te graças pela tua Igreja. Sabemos que Satanás tenta nos atacar desde o exterior, mas seus ataques mais sutis consistem em semear a discórdia no interior. Peço-te que estejamos preparados quando tivermos de enfrentar novos desafios. Que sejamos sensíveis diante das necessidades de outras pessoas. Que sejamos conhecidos como pacificadores. Tu disseste: "Bem-aventurados os pacificadores, pois serão chamados filhos de Deus".[23] Queremos ser como tu és, e, quando trazemos paz, somos como és. Pedimos-te essas coisas em nome de Jesus. Amém.

> Ame o suficiente para confrontar. Diga a verdade com amor.

---

[23] Mateus 5.9.

GUIA PARA APLICAÇÃO DO PRINCÍPIO 7

Como um líder resolve os conflitos

Aplicando os propósitos de Deus

Comunhão – Nada destrói o companheirismo mais rapidamente que o conflito.

- Se não o confrontarmos a tempo, o que poderia acontecer ao nosso grupo familiar?

- Como líder, você teme confrontar esse agente divisor em seu trabalho?

- Como pai, você teme disciplinar seus filhos?

- Considere o custo de não confrontar: antes de enfrentar um empregado, membro de grupo ou filho, escreva seu plano pessoal para negociar com o conflito, baseando-se em Mateus 18.15-17. Entregue esse plano a Deus e peça pela sua coragem. Peça a um ou dois sócios de confiança que o apoiem para cumprir o seu compromisso.

Discipulado – Neemias discipulava por meio do exemplo.

- Você reflete Cristo para os outros?

- Você poderia dizer o mesmo que Neemias e Paulo: "Tornem-se meus imitadores, como eu o sou de Cristo"? Se não, o que você deve mudar para converter-se em modelo a ser seguido pelos demais?

- Como você pode se conectar com Jesus em um nível tão íntimo que não consiga deixar de refletir Cristo em seus pensamentos, atitudes e ações?

- Peça ao Senhor que revele sua verdade sobre você. Peça a coragem necessária para ver essa verdade e depois o compromisso necessário para render-se às suas mudanças.

Ministério – Tito 3.10,11 nos diz: "Quanto àquele que provoca divisões, advirta-o uma primeira e uma segunda vez. Depois disso, rejeite-o.

Você sabe que tal pessoa se perverteu e está em pecado; por si mesma está condenada".

- A divisão pode destruir um ministério.

- No seu papel de liderança, como você lida com uma pessoa separatista?

- Quando alguém quer impor seus interesses ao resto do grupo, o que você pode fazer como líder? Acredite se quiser, mas a resposta a essa pergunta pode representar o sucesso ou o fracasso do seu ministério.

Evangelismo – Para compartilhar eficazmente o Espírito de Cristo, devemos nos parecer com ele em nossas ações.

- Qual foi a resposta de Cristo aos pagãos e coletores de impostos (ver Mateus 18.15-17, passo 3)?

- Qual é a diferença entre aceitação e aprovação?

- Atualmente, associam-se os cristãos a uma postura rígida em referência ao comportamento pecaminoso dos outros, especialmente os que levam uma vida que se poderia chamar de irreverente. O que você pode fazer para confrontar um comportamento assim e deixar agir o amor de Cristo por meio de você?

Adoração – Adorar a Deus implica colocá-lo em primeiro lugar e não a nós mesmos.

- Quando você ora, no meio do culto, na sua oração pessoal ou ao cantar para Deus, você está focado unicamente nele?

- Aprenda a colocar o Senhor em primeiro lugar em sua vida, mesmo quando isso for difícil.

- Uma vida que coloca Deus e Cristo sobre todas as coisas reflete uma atitude de adoração.

- Quando nosso primeiro objetivo é agradar a Deus, não pode haver conflito de interesses. Fixe seu olhar nele agora. Peça-lhe que seja mais em sua vida, e que você seja menos. Observe o Senhor tomar conta dos seus problemas de liderança e dos problemas de sua vida.

PONTOS PARA REFLEXÃO

Sempre que você pertencer a um grupo, desacordos e diferenças serão inevitáveis. Deus permite o conflito para sua glória, para que assim aprendamos a deixar os nossos interesses pessoais pelos seus interesses. Você está pronto para dar esse passo de fé?

Temos aprendido a orar pelo nosso papel de liderança, a planejar, a motivar outros, a organizar nossos projetos, a lidar com a oposição e a resolver conflitos. Mas o que fazer quando o conflito está na nossa alma?

Uma coisa é quando os problemas são com outras pessoas, e outra coisa, muito diferente, é quando lutamos contra os nossos desejos. Como agimos ao enfrentar a tentação? Sempre a reconhecemos? No próximo capítulo, examinaremos as tentações da liderança.

CAPÍTULO 8

As tentações da liderança

Para cada cem pessoas que podem lidar com a adversidade,
há somente uma que pode lidar com a prosperidade.

THOMAS CARLYLE

O que parece mais fácil de administrar para você: o sucesso ou o fracasso? A maioria das pessoas não sabe lidar com o fato de ocupar um alto cargo. De fato, o sucesso destrói algumas pessoas.

A liderança vem acompanhada de três vantagens primordiais:

- Posição – Você pode chegar a estar mais alto.
- Poder – Você pode chegar a fazer mais.
- Privilégio – Você pode chegar a ter mais.

Cada uma dessas coisas é um benefício legítimo de liderança. O esforço e labor extraordinários que você tem levado para se converter em um líder lhe oferecem uma posição melhor, com mais poder e privilégios maiores.

No entanto, devemos considerar esses privilégios "mão de ferro em luva de veludo". Se fizer mau uso deles, todos virão acompanhados de tentações suficientemente grandes para causar a sua queda como líder.

Assim, aquele que julga estar firme, cuide-se para que não caia![1]

Só precisamos olhar o título das notícias para ver como podem ser destruidoras as tentações relacionadas à liderança. Os conflitos de interesses e o mau uso dos privilégios têm causado problemas a muitas pessoas ao longo de toda a história, e continuam causando hoje. Lord Acton

---

[1] 1Coríntios 10.12.

disse certa ocasião: "O poder corrompe, e o poder absoluto corrompe de maneira absoluta".

O bom de tudo isso é que, quando chega a tentação, Deus nos oferece um antídoto. O líder sábio estuda a tentação, reconhece-a e aplica o antídoto.

Quando chegamos a Neemias 5.14, vemos que Neemias esteve doze anos no cargo de governador de Judá. Os que estiveram antes dele, diz o texto, fizeram mau uso de seu poder, privilégios e posições para favorecer as próprias ganâncias egoístas.

AS TRÊS TENTAÇÕES DA LIDERANÇA

1. Você será tentado a fazer mau uso da sua posição

Mas os governantes anteriores, aqueles que me precederam, puseram um peso sobre o povo e tomavam dele quatrocentos e oitenta gramas de prata, além de comida e vinho.[2]

Os predecessores de Neemias faziam exigências pouco realistas. Cobravam do povo impostos excessivos, aplicavam-lhes cargas injustas e não tinham compreensão nenhuma da situação deles. Aqueles homens haviam abusado da sua posição.

> "O poder corrompe, e o poder absoluto corrompe de maneira absoluta."

Talvez você tenha visto isto acontecer: alguém que você conhece no seu trabalho — alguém com quem você esteve almoçando e contando piadas ainda ontem — recebe uma promoção, e, de repente, se converte em um pequeno ditador. O poder o transforma. De repente, começa a tratar os outros com menosprezo. Começa a fazer exigências excessivas que desmoralizam as pessoas. O poder adquirido repentinamente pode fazer que isso aconteça.

2. Você será tentado a abusar do seu poder

Até os seus auxiliares oprimiam o povo.[3]

[2] Neemias 5.15a.
[3] Neemias 5.15b.

As tentações da liderança

Aqueles pequenos ditadores haviam adotado o estilo de vida de líderes opressores. Eram uns autocratas. Até seus criados tinham se convertido em pequenos déspotas. Estavam fazendo uso incorreto do seu poder abertamente.

Há uma diferença entre ser chefe e ser líder. Aquelas pessoas haviam sido colocadas em cargos de liderança, mas depois fizeram mau uso dos seus cargos, abusando do poder. Ninguém gosta de trabalhar para um líder dominante; uma pessoa cujas palavras favoritas são: "Faça isso porque mandei fazer!". Os tiranos exigem sem nunca explicar.

> Há uma diferença entre ser chefe e ser líder.

A liderança não é senhorio.

3. Você será tentado a tirar lucro dos seus privilégios

Quando Neemias se refere ao "imposto que me correspondia como governador", ele nos dá a entender que o governador tinha uma espécie de conta ilimitada para seus gastos. Sem dúvida, a comida era oferecida ao que se encontrava naquele cargo como sinal de gratidão. Seus predecessores, porém, haviam feito mau uso daquele privilégio.

Geralmente, os líderes ganham mais, recebem benefícios adicionais e lhes é concedida mais liberdade em seu calendário de trabalho e em sua conta de gastos. A liderança tem seus privilégios, mas existe muita gente que não sabe lidar com isso.

> A liderança não é senhorio.

Mas, por temer a Deus, não agi dessa maneira.[4]

Neemias era um líder incomum. Não era conformista, e não seguia os esquemas que se esperava que seguisse. O que o fazia tão diferente dos que o antecederam?

Além disso, desde o vigésimo ano do rei Artaxerxes, quando fui nomeado governador deles na terra de Judá, até o trigésimo segundo ano do seu reinado, durante doze anos, nem eu nem meus irmãos comemos a comida destinada ao governador.[5]

---

[4] Neemias 5.15c.
[5] Neemias 5.14.

Vemos os seguintes dados acerca de Neemias durante o período em que foi governador: nunca recebeu salário, nunca usou uma conta de gastos, negou-se a exigir impostos, negou-se a comprar terrenos para obter lucros, pagava seus empregados com os próprios recursos para fazerem trabalho público, alimentava diariamente, com seu dinheiro, mais de 150 pessoas. Basicamente, Neemias está dizendo: "Não tomei dinheiro nenhum, nem ganhei nada". Quantos políticos vêm à sua mente que rejeitariam voluntariamente a oportunidade de obter lucros materiais?

Qual era o segredo de Neemias? O que o fez não abusar de seu poder, cargo e privilégios?

A MANEIRA DE MANTER SUA INTEGRIDADE COMO LÍDER

1. Torne mais profunda sua reverência a Deus

Neemias tinha mais interesse em agradar a Deus do que a si próprio. "Mas, por temer a Deus, não agi dessa maneira", ele disse. O que significa esse temor reverencial a Deus?

Em primeiro lugar, eu o temo quando percebo que foi ele quem me colocou na posição de liderança. Neemias não esqueceu que havia sido Deus quem o havia enviado a Jerusalém com a tarefa de reconstruir os muros.

Não é do oriente nem do ocidente nem do deserto que vem a exaltação. É Deus quem julga: Humilha a um, a outro exalta.[6]

Os grandes líderes percebem que são somente mordomos. Compreendem que o mundo não é deles, nem a igreja, nem o seu negócio; são apenas os gerentes, os mordomos, os encarregados das propriedades de Deus. As promoções vêm de Deus, e não das pessoas. Alguém disse: "Não precisamos conhecer os homens-chave, se conhecemos o homem que tem as chaves".

Em segundo lugar, tenho temor reverencial a Deus quando compreendo que ele vai me pedir contas. Neemias exortou os que estavam abusando de seus vizinhos perguntando-lhes: "Não deveriam mostrar a devida reverência a nosso Deus?".

A Bíblia diz que "O temor do SENHOR é o princípio da sabedoria".[7]

---

[6] Salmos 75.6,7.
[7] Salmos 111.10.

Uma das razões pelas quais tantas pessoas pensam que podem se sair bem e continuar fazendo o que não devem é que não têm o temor de Deus. Pensam que podem brincar com fogo e se sair bem.

> Obedeçam aos seus líderes e submetam-se à autoridade deles. Eles cuidam de vocês como quem deve prestar contas. Obedeçam-lhes, para que o trabalho deles seja uma alegria e não um peso, pois isso não seria proveitoso para vocês.[8]

> As promoções vêm de Deus, e não das pessoas. Alguém disse: "Não precisamos conhecer os homens-chave, se conhecemos o homem que tem as chaves".

Esse versículo me assusta. Não assusta você? Deveria! Deus vai me julgar, e também vai julgar você. Não existe autoridade dada por Deus que não venha acompanhada de responsabilidade. A Bíblia diz que os pastores e os líderes terão de prestar contas a Deus.

> Meus irmãos, não sejam muitos de vocês mestres, pois vocês sabem que nós, os que ensinamos, seremos julgados com maior rigor.[9]

Isso é o que significa ter temor reverencial a Deus. Reverenciamo-lo quando dizemos: "Tu me colocaste aqui, e haverás de pedir contas do que eu venha a fazer com este privilégio". O líder deve guardar reverência para com Deus, respeitando-o profundamente.

2. Desenvolva o amor pelas pessoas

> Além do mais, cento e cinquenta homens, entre judeus do povo e seus oficiais, comiam à minha mesa, como também pessoas das nações vizinhas que vinham visitar-nos. Todos os dias eram preparados, à minha custa, um boi, seis das melhores ovelhas e aves, e a cada dez dias eu recebia uma grande remessa de vinhos de todo tipo. Apesar de tudo isso, jamais exigi a comida destinada ao governador, pois eram demasiadas as exigências que pesavam sobre o povo.[10]

[8] Hebreus 13.17.
[9] Tiago 3.1.
[10] Neemias 5.17,18.

Vê-se claramente que Neemias era um homem muito compassivo e preocupado com os demais. Estimava genuinamente as pessoas. Irou-se quando uns passaram a explorar os outros, e foi generoso com aquilo que lhe havia sido dado.

Os perdedores se concentram no que podem conseguir; os líderes, naquilo que podem dar.

E de coração íntegro Davi os pastoreou; com mãos experientes os conduziu.[11]

Esse é um dos grandes versículos da minha vida. Uma paráfrase bíblica diz: "Pastoreou-os com generosa entrega". Peço a Deus que me permita pastorear com integridade e habilidade. Ao estudar os líderes, tanto os bons quanto os maus, tenho pensado que os que abusavam constantemente do poder não amavam o seu povo. Os que abusam do poder não têm temor reverencial a Deus, nem amam o seu povo.

> Os perdedores se concentram no que podem conseguir; os líderes, naquilo que podem dar.

Sentindo, assim, tanta afeição, decidimos dar a vocês não somente o evangelho de Deus, mas também a nossa própria vida, porque vocês se tornaram muito amados por nós.[12]

> Os que abusam do poder não têm temor reverencial a Deus, nem amam o seu povo.

Se você ama de verdade as pessoas, não abusará delas nem se utilizará delas de forma errada.

Quando ouvi a reclamação e essas acusações, fiquei furioso.[13]

Quando vê que ferem alguém a quem você ama, ou que abusam dele, você se aborrece? A ira de Neemias por causa das injustiças que havia presenciado é a evidência do seu amor pelo povo.

[11] Salmos 78.72.
[12] 1Tessalonicenses 2.8.
[13] Neemias 5.6.

3. Discipline-se para buscar as recompensas eternas

Lembra-te de mim, ó meu Deus, levando em conta tudo o que fiz por este povo.[14]

Por que Neemias não caiu nos mesmos abusos dos seus predecessores? Talvez porque sua perspectiva era a eterna? Não estava olhando o presente, mas o futuro. Os líderes que estavam abusando de seu poder, cargos e privilégios estavam explorando o povo. Seu único anseio era adquirir riquezas pessoais. Também podemos ver isso em nosso mundo de hoje. Os políticos passam a vida explorando o povo. De vez em quando admitem o fato, mas somente quando são descobertos. Neemias diz: "Eu não tenho feito nada disso. Tenho me disciplinado".

> Se você ama de verdade as pessoas, não abusará delas e nem se utilizará delas de forma errada.

Ao contrário, eu mesmo me dediquei ao trabalho neste muro. Todos os meus homens de confiança foram reunidos ali para o trabalho; e não compramos nenhum pedaço de terra.[15]

Os que antecederam Neemias haviam aproveitado os tempos difíceis para adquirir lucros pessoais. Estavam usando seu cargo e seus privilégios para assegurar sua posição. Neemias diz: "Eu não fiz isso". Pense: com os impostos a que tinha direito, poderia ter feito alguns negócios lucrativos de boas fontes. Da mesma forma que os que haviam passado ali antes dele. Ele poderia ter dito: "Se me dão suas terras, eu lhes darei comida". Uma vez edificados os muros, o preço das terras havia subido imensamente, por causa do aumento da segurança. Neemias, no entanto, não fez isso. Ele tinha temor reverencial pelo Senhor. Amava o povo. Tinha os olhos postos numa recompensa futura.

> Quanto mais alto você chega na liderança, menos liberdade terá.

[14] Neemias 5.19.
[15] Neemias 5.16.

Neemias disciplinou-se a ponto de limitar a própria liberdade. Quanto mais alto você chega na liderança, menos liberdade terá, mais se exige dos líderes. Quanto maior é a sua posição de autoridade, mais se espera de você, mais restrições são colocadas, e, na realidade, menos liberdade terá. A liderança exige muito.

> Não sou livre? Não sou apóstolo? Não vi Jesus, nosso Senhor? Não são vocês resultado do meu trabalho no Senhor? Ainda que eu não seja apóstolo para outros, certamente o sou para vocês! Pois vocês são o selo do meu apostolado no Senhor. Esta é minha defesa diante daqueles que me julgam. Não temos nós o direito de comer e beber? Não temos nós o direito de levar conosco uma esposa crente como fazem os outros apóstolos, os irmãos do Senhor e Pedro? Ou será que só eu e Barnabé não temos direito de receber sustento sem trabalhar?[16]

Aqui rege-se o princípio de que o trabalhador é digno do seu salário. Se uma pessoa faz um trabalho para você, é justo que lhe pague.

De acordo com a lei judaica, quando um boi estava trilhando em círculos o grão para convertê-lo em farinha, não se permitia que lhe colocassem mordaça. Isso era considerado algo desumano. Era-lhe permitido que comesse do mesmo grão que estava trilhando. Paulo afirma:

> Se entre vocês semeamos coisas espirituais, seria demais colhermos de vocês coisas materiais? Se outros têm direito de ser sustentados por vocês, não o temos nós ainda mais?[17]

Os que se dedicam integralmente ao ministério têm o direito de ser pagos por essa dedicação total. Paulo diz a seguir:

> Mas nós nunca usamos desse direito. Ao contrário, suportamos tudo para não pôr obstáculo algum ao evangelho de Cristo.[18]

Porque entendia o papel que lhe correspondia como líder, Paulo estava disposto a limitar sua liberdade.

---

[16] 1Coríntios 9.1-6.
[17] 1Coríntios 9.11,12a.
[18] 1Coríntios 9.12b.

Os perdedores concentram sua atenção em seus direitos; os líderes, em suas responsabilidades.

Os perdedores dizem: "Eu tenho meus direitos!". Entretanto, o líder reconhece: "Tenho minhas responsabilidades!". Por ser governador, Neemias tinha grande quantidade de direitos. Nesta passagem, refere-se a eles em duas ocasiões: "nem eu nem meus irmãos comemos a comida destinada ao governador". Ao ser nomeado governador, Neemias convertera-se no homem mais importante daquelas terras. Era responsável apenas diante do rei Artaxerxes diretamente, e este estava a 1.300 quilômetros de distância. Podemos dizer com tranquilidade que Neemias não conheceu as frustrações associadas à microgerência.

Durante doze anos, havia sido o homem mais importante do país, sem ter de responder a ninguém. Não obstante, não abusou de seus privilégios. Tinha o poder necessário para resistir às três tentações porque fazia estas três coisas:

- Tinha o temor reverencial pelo Senhor.
- Amava o povo.
- Disciplinava-se a si mesmo, para olhar para as recompensas da eternidade.

Era um homem decidido. Tal como diz em 5.16, Neemias dedicou-se à obra do Senhor. Não tinha tempo para os conflitos de interesse. Estava comprometido com o trabalho que Deus lhe havia encomendado. Sabia que precisava levantar uma muralha, e não um império pessoal. Enriquecer não era uma das suas prioridades.

Se Neemias tivesse permitido desviar-se pela busca de riquezas, tal como o haviam feito os governantes anteriores, você acredita que teria terminado os muros com tanta rapidez como o fez? Ele dizia: "Deus me encomendou um trabalho, e eu não vim aqui para fazer nenhuma outra coisa. Não vou desviar minhas energias para nenhuma outra parte".

Conheço pastores que se têm dedicado às vendas como trabalho secundário. Não percebem quanto tempo lhes tem sido tomado, e depois se perguntam por que sua igreja não está crescendo. Seus interesses estão divididos. As pessoas não sabem se o pastor está fazendo amizade com elas a fim de ganhá-las para o Senhor, ou a fim de ganhar um novo cliente.

Neemias disciplinou-se em todos os aspectos. O que o motivou a aceitar a responsabilidade pelos israelitas de Jerusalém, sem ter sobre si outra autoridade além da de Deus? Creio que era o mesmo anseio que havia motivado Moisés. A Palavra diz: "Moisés, já adulto, recusou ser chamado filho da filha do faraó, preferindo ser maltratado com o povo de Deus a desfrutar os prazeres do pecado durante algum tempo".[19] Sejamos sinceros: o pecado é algo deleitoso. É divertido. Se não fosse, ninguém se sentiria tentado a pecar. Mas a Palavra fala de "efêmeros prazeres do pecado". Tanto Neemias quanto Moisés sabiam que é preciso pagar um preço por esses efêmeros prazeres. Como eles tinham os olhos fixos em uma recompensa futura, preferiram ser "maltratado[s] com o povo de Deus" a desfrutar os prazeres do pecado durante algum tempo.

Na história do mundo, existem poucas personagens que tenham tido maior potencial para o poder, os privilégios e a posição que Moisés. Era o segundo homem na corte de um faraó sem herdeiros. Estava em linha direta para suceder o faraó e converter-se em líder do Egito, a nação mais próspera do mundo naquele tempo. Como tinha os olhos postos em um prêmio eterno, deixou voluntariamente tudo aquilo para guiar um monte de escravos pelo deserto. Renunciou ao poder, à posição e aos privilégios; as mesmas coisas que nós passamos a vida tentando alcançar. Seus valores eram os corretos, porque assim era sua visão. Mantinha os olhos fixos na recompensa do futuro.

O líder é tentado a utilizar sua liderança para obter vantagens pessoais. Você vai ser tentado. Para poder resistir, precisa se perguntar constantemente: "Por que estou fazendo o que estou fazendo?".

> Deus não é injusto; ele não se esquecerá do trabalho de vocês e do amor que demonstraram por ele, pois ajudaram os santos e continuam a ajudá-los.[20]

Pense em todos os que trabalham nos bastidores como voluntários na sua igreja, ou na sua organização. Talvez nós não vejamos o que eles fazem, mas Deus, sim, ele vê; e não esquece. Cada vez que alguém ajuda o povo de Deus, está manifestando que ama a Deus. O trabalho feito para

---

[19] Hebreus 11.24,25.
[20] Hebreus 6.10.

Deus com um coração puro onde há amor será recompensado na eternidade. Essa motivação é legítima na liderança. O autor de Hebreus está dizendo: "Como se acumulam tesouros no céu? Isso se faz servindo aqui na terra. Dê seu tempo, seu dinheiro, sua energia, tudo o que você tem, em nome do céu".

Os líderes eficazes se centralizam nas suas responsabilidades e se esquecem dos seus direitos. Eis aqui umas palavras clássicas de Pedro para os líderes das igrejas:

> Portanto, apelo para os presbíteros que há entre vocês, e o faço na qualidade de presbítero como eles e testemunha dos sofrimentos de Cristo, como alguém que participará da glória a ser revelada: pastoreiem o rebanho de Deus que está aos seus cuidados. Olhem por ele, não por obrigação, mas de livre vontade, como Deus quer. Não façam isso por ganância, mas com o desejo de servir. Não ajam como dominadores dos que foram confiados a vocês, mas como exemplos para o rebanho. Quando se manifestar o Supremo Pastor, vocês receberão a imperecível coroa da glória.[21]

O Novo Testamento utiliza três palavras diferentes para falar dos líderes, e todas aparecem nessa mesma passagem.

"Ancião", *presbytes* é a palavra grega que dá origem à "presbiteriano"; a igreja presbiteriana chama os seus líderes de "anciãos". "Pastor" se explica por si mesma, é a segunda palavra; e a terceira é "supervisor". Esta é a palavra grega da qual se deriva "episcopal", e significa "supervisor"; os líderes dessa igreja são chamados de "bispos".

Qual é a diferença entre um ancião, um pastor e um bispo? Nenhuma. A Bíblia usa três palavras distintas para referir-se às mesmas pessoas. Pedro usa aqui os três termos para chamar a atenção de todos os líderes. Ele quer que compreendam suas responsabilidades, que estão descritas nessas palavras. Ele diz aos anciãos que sejam pastores e funcionem como supervisores.

> Os líderes eficazes se centralizam nas suas responsabilidades e se esquecem dos seus direitos.

"Ancião" é um termo relacionado à maturidade espiritual. Não tem nada a ver com a idade (Timóteo, sendo jovem, era o ancião da igreja

---

[21] 1Pedro 5.1-4.

de Éfeso), mas, sim, com a maturidade espiritual. Ele diz aos anciãos que sejam pastores. O papel do pastor diz respeito à parte da sua descrição de labores relacionada com o cuidado das pessoas: a ministração, o conselho e o cuidado pastoral. "Supervisores" têm a ver com a função administrativa do líder na igreja. O líder supervisiona a administração, a orientação, a direção e a gerência da igreja.

Pedro diz que a liderança da igreja começa com o reconhecimento de que esta é o rebanho de Deus. A igreja é de Deus. A nós só cabe a liderança, a administração de algo que pertence a ele. O mesmo acontece com seu negócio, sua família ou sua organização.

> Uma coisa é a liderança e outra é o senhorio.

Os bons líderes guiam os outros com coração ardente. Não são líderes porque têm de ser, mas porque estão dispostos a ser. Estão mais preocupados com o que poderiam dar do que com o que poderiam conseguir.

Uma coisa é a liderança e outra é o senhorio. O verdadeiro líder não é um ditador, mas um guia por meio do seu exemplo. Como consequência, "quando se manifestar o Supremo Pastor, vocês receberão a imperecível coroa da glória".

Discipline-se para buscar as recompensas eternas. Não sei quanto a você, mas eu quero uma dessas coroas.

Deus não se agrada dos líderes que abusam de sua posição, poder e privilégios.

Quando Deus disse a Moisés que falasse à rocha, o que Moisés fez foi bater nela. Abusou do seu poder. Por essa razão, Deus lhe disse: "Não entrarás na terra prometida".

Davi abusou da sua posição de líder quando teve uma aventura com Bate-Seba. Pagou o preço quando Deus levou o primeiro filho dessa união.

Saul abusou da sua posição de líder ao fazer o que Deus havia dito que não fizesse. Perdeu o trono. Ao longo de todo o Antigo Testamento, lemos que, quando os reis judeus serviam ao Senhor, prosperavam. Quando começavam a abusar de sua posição, privilégios e poder, perdiam a liderança.

Você foi promovido alguma vez? Reconhece alguma dessas tentações? Como líder, *será tentado a fazer uso indevido da sua posição*. Certa ocasião, houve um homem que foi embora da igreja porque queria ser presidente da assembleia... e nós não tínhamos nenhuma assembleia. Estava mais interessado num cargo do que no ministério. Queria ser peixe grande em lagoa pequena.

Você *será tentado a abusar do seu poder*. A liderança não é senhorio. Os líderes não são chamados para ser ditadores tiranos.

Jesus disse em sua Palavra que "o maior entre vocês deverá ser servo."[22]

Você *será tentado a se aproveitar dos seus privilégios*. Quando alguém recebe uma promoção, os demais passam a confiar mais nele. Por exemplo, seus horários podem se tornar mais flexíveis. Pode-se usar esse privilégio para fazer uma boa quantidade de trabalho no dia, ou para ir embora mais cedo quando chega o fim de semana. Talvez lhe seja confiada uma conta de gastos ou várias outras coisas das quais vai ter a tentação de abusar. Isso faz parte do que é ser líder.

Foi uma profunda reverência pelo Senhor que impediu Neemias de abusar de sua autoridade.

Uma vez que conhecemos o temor ao Senhor, procuramos persuadir os homens. O que somos está manifesto diante de Deus, e esperamos que esteja manifesto também diante da consciência de vocês. Não estamos tentando novamente recomendar-nos a vocês, porém estamos dando a oportunidade de exultarem em nós, para que tenham o que responder aos que se vangloriam das aparências e não do que está no coração.[23]

O que Paulo está dizendo é: "Eu vivo com transparência diante de vocês. Tudo está à vista: o que veem em mim é o que sou. E vivo desta forma, não para impressionar vocês, mas porque temo ao Senhor".

Temo o que o Senhor faria se eu abusasse da liderança da minha igreja. Esse é um temor santo; um temor que não existe em grande parte do mundo atual. É uma reverência diante de Deus que diz: "Deus me colocou aqui, trouxe-me a este posto e vai me pedir contas. Portanto, não posso abusar dessa situação em particular".

Gênesis 39 relata a história de José, quando a mulher de Potifar lhe armou uma cilada e ele escapou dela. O que o impediu de ceder diante da

---

[22] Mateus 23.11.
[23] 2Coríntios 5.11,12.

tentação que ela lhe estava oferecendo gratuitamente? O temor de Deus que José tinha era maior que o amor aos próprios prazeres. Ele sabia que, se ele se comportasse assim, entristeceria a Deus.

> Obedeçam aos seus líderes e submetam-se à autoridade deles. Eles cuidam de vocês como quem deve prestar contas. Obedeçam-lhes, para que o trabalho deles seja uma alegria e não um peso, pois isso não seria proveitoso para vocês.[24]

Se não há responsabilidade, tampouco há autoridade. Aprofunde sua reverência a Deus. Compreenda que é a ele que daremos conta. Os líderes são julgados de maneira mais restrita que os seus seguidores.

> Se não há responsabilidade, tampouco há autoridade.

Por último, discipline-se para buscar as recompensar eternas. Tenha os olhos fixos no prêmio que Deus tem preparado.

> O Senhor respondeu: "Muito bem, servo bom e fiel! Você foi fiel no pouco, eu o porei sobre o muito. Venha e participe da alegria do seu senhor!".[25]

Esse é um dos versículos mais importantes da Bíblia. Quando eu chegar ao céu, é o que quero ouvir do Senhor. Você não quer? Minha principal motivação é comparecer um dia diante de Deus e ouvi-lo dizer: "Fizeste bem, servo bom e fiel! Não foste perfeito, mas foste fiel. Fizeste o melhor que pudeste e isso era tudo o que eu queria de ti".

Deus não nos chama ao sucesso. Chama-nos à fidelidade. A consequência de uma liderança fiel é que ele nos encomenda tarefas maiores.

> Deus não nos chama ao sucesso. Chama-nos à fidelidade.

Quando você chegar ao céu, terá responsabilidades ainda maiores. Você sabia que a forma pela qual você viver sua liderança aqui na terra determinará seu potencial de liderança na eternidade? Isso é o que a Bíblia diz. Se você foi fiel nas coisas pequenas, vai ser fiel nas grandes. Compartilhe a felicidade de seu senhor. Deus deseja compartilhar a felicidade dele com você e comigo.

---

[24] Hebreus 13.17.
[25] Mateus 25.23.

Quando encontrar líderes que estão abusando do poder, você pode estar seguro, em primeiro lugar, de que não têm reverência pelo Senhor; em segundo, de que não amam as pessoas; e, em terceiro, de que estão vivendo para o momento e não para a eternidade.

Senhor, precisamos da tua ajuda. Peço-te que me ajudes a ser um líder íntegro, como Davi, pastor com coração íntegro e mãos hábeis. Ajuda-nos a ser líderes nos lugares que nos deste em nossa família, nossa escola, nosso negócio, nosso grupo de crescimento ou célula, ou para onde quer que nos chames. Queremos guiar com integridade e esforço, trabalhando de verdade, e necessitamos da tua ajuda para fazer isso. Ajuda-nos a ser líderes com prioridades, e a estar mais preocupados com a edificação do teu Reino do que com nosso império ou riquezas, posições ou privilégios pessoais. Ajuda-nos a ser líderes generosos.

Mostraste-nos quanto Neemias foi generoso. Alimentava pessoalmente 150 pessoas todos os dias, e pagava tudo com seu dinheiro, e nunca pediu nada em troca. Ajuda-nos a ser pessoas generosas, como ele. Ajuda-nos a ser líderes autênticos; a ser como Paulo. E, sobretudo, ajuda-nos a ser líderes com perspectiva de eternidade; a nos dar conta de que vamos passar mais tempo contigo na eternidade do que nesta vida.

Quando nos colocares em posições de privilégio, poder ou preeminência, não deixes que nos tornemos prisioneiros dessas tentações. Faze-nos ser como Neemias, homens ou mulheres íntegros. Isso é o que te pedimos em nome de Jesus. Amém.

GUIA PARA APLICAÇÃO DO PRINCÍPIO 8

As tentações da liderança

Aplicando os propósitos de Deus

Comunhão – Lutar com a tentação pode ser mais fácil em companhia de alguém do que sozinho.

- Em que área você se sente mais tentado a abusar de seu poder como líder?

- Como o grupo de crescimento ou célula ou até um sócio de confiança pode ajudá-lo a identificar essa área de vulnerabilidade, a fim de que você desenvolva um caráter mais reverente?

- Considere receber ajuda; peça a Deus que lhe dê a coragem de ser o líder que ele deseja que você seja.

Discipulado – Como líder, nada é mais importante do que ser uma pessoa íntegra. Precisamos sempre fazer o que é correto, e isso não é fácil. Até os líderes precisam de heróis: os modelos corretos a seguir.

- Em toda a história, há apenas uma pessoa que sempre fez o que era correto e teve sucesso, quem é essa pessoa?

- Como, ao conhecer melhor o Senhor, fortalecemos nossa integridade como líderes?

- O que você fará como resultado deste capítulo para certificar-se de que está seguindo as marcas de seu Líder?

Ministério – Neemias foi capaz de pedir a Deus que o favorecesse por todo o bem que ele havia feito por seu povo.

- Você pode fazer o mesmo pedido?

- Como você pode resistir à tentação de abusar de sua posição de líder?

- Como você, no papel de ministro, pode ajudar outros?

- Nunca é tarde para ser um líder como Neemias. Peça a Deus que dê seu amor aos que você dirige. Lembre-se de que Deus quer que você seja seu tipo de líder. O passado ficou para trás. Seja como Neemias, aprenda com o passado para olhar para o futuro.

Evangelismo – Em nenhum outro aspecto a liderança pode ter mais peso eterno do que em nossa habilidade de atrair outros a Cristo.

- As pessoas nos olham quando caímos. E Deus?
- Considere que, como líder, seu desempenho pode impactar outros para a eternidade. Como isso afeta as decisões e escolhas que você faz?
- Pode ser que as decisões que você toma não afetem seu desempenho, mas a forma pela qual você lidera tem muito a ver com a maneira que os outros veem Cristo em você.
- Que mudanças você deve fazer para se assegurar de que está refletindo o Deus de amor?

Adoração – O temor do Senhor é a chave para evitar as tentações da liderança. Isso se reflete nas palavras de Neemias 5.15: "por temer a Deus, não agi dessa maneira".

- Você reconhece que a mão de Deus o colocou onde você está?
- Você se dá conta de que ele o apoia com responsabilidade no papel em que o colocou?
- Você gostaria de escutar Deus dizer: "Muito bem, servo bom e fiel"?
- Você deseja agradar a Deus ou a você mesmo? Não é uma pergunta fácil. O que você pode fazer para se assegurar de que obedecerá à voz de Deus na próxima vez que for tentado a abusar de sua posição?[26]

PONTOS PARA REFLEXÃO

Neemias renunciou à riqueza, ao poder e à posição influente na corte do rei para poder guiar os que reconstruíam a muralha de Jerusalém.

---

[26] Hebreus 6.10.

Ele tinha seus valores muito claros, já que sua visão estava focada em Deus, e não em si mesmo. Essa foi a chave para superar a tentação. E o que mais? Pergunte a Deus como ele quer que você melhore nesta área. Volte ao capítulo 3, faça um plano para trabalhar em suas deficiências pessoais e convertê-las em virtudes.

> Deus não é injusto; ele não se esquecerá do trabalho de vocês e do amor que demonstraram por ele, pois ajudaram os santos e continuam a ajudá-los.[27]

Que tipo de líder você quer ser? Deus está chamando você para algo extraordinário? No próximo capítulo, vamos lançar um olhar nos segredos dos líderes supervitoriosos.

---

[27] Hebreus 6.10.

CAPÍTULO 9

Os segredos dos bem-sucedidos

O muro ficou pronto no vigésimo quinto dia de elul, em cinquenta e dois dias.[1]

Qual era o segredo de Neemias? Como pôde levantar, em cinquenta e dois dias, os muros que ficaram, por décadas, derrubados e descuidados? Ele não se deu por vencido! Continuou trabalhando até terminá-los.

Como estudamos antes, Neemias enfrentou grande oposição contra a reconstrução da muralha. Sambalate, Tobias e Gesém utilizaram-se da divisão, do desânimo e da discórdia em sua tentativa de deter o projeto. Quando aquilo não funcionou, tentaram a zombaria e a intimidação. Agora chegamos ao capítulo 6 de Neemias, faltando apenas colocar as portas. O muro estava quase terminado. Os inimigos de Neemias estavam ficando desesperados.

Se Neemias tivesse escrito um livro que se chamasse *Como terminar um projeto em tempo recorde*, é possível que dissesse algo assim:

Quando Sambalate, Tobias, Gesém, o árabe, e o restante de nossos inimigos souberam que eu havia reconstruído o muro e que não havia ficado nenhuma brecha, embora até então eu ainda não tivesse colocado as portas nos seus lugares, Sambalate e Gesém mandaram-me a seguinte mensagem: "Venha, vamos nos encontrar num dos povoados da planície de Ono". Eles, contudo, estavam tramando fazer-me mal; por isso enviei-lhes mensageiros com esta resposta: "Estou executando um grande projeto e não posso descer. Por que parar a obra para ir encontrar-me com vocês?" Eles me mandaram quatro vezes a mesma mensagem, e todas as vezes lhes dei a mesma resposta.[2]

[1] Neemias 6.15.
[2] Neemias 6.1-4.

Neemias não se deu por vencido.

Seus inimigos tinham algumas cartas para jogar, mas Neemias estava pronto para fazer-lhes frente. Se você quer fazer as coisas rapidamente e bem, tem de fazer três coisas:

1. Continue trabalhando, apesar das distrações

Sambalate, Tobias e Gesém tentaram desviar Neemias. Eles sugeriram que se celebrasse uma conferência de paz. Que tinha isso de mal? Vamos nos reunir para discutir um meio de nos entendermos. Neemias, porém, estava atento. "Estou levando a cabo um projeto", ele lhes disse, "e não posso desistir". Estava decidido a não se deixar distrair enquanto não houvesse terminado os muros.

O tempo das discussões já passou. Agora é tempo de trabalhar.

Você já conheceu alguém que quer falar mais que trabalhar? Pessoas que criam situações de conversa para deixar de trabalhar? Muitos projetos não terminam nunca porque são destinados a um comitê, e só chegam até aí. A burocracia amarra o progresso. Evite-a, se for possível.

Mais ainda, aqueles enganadores estavam ameaçando a vida de Neemias. Todos os seus anos como copeiro do rei o fizeram entender que se tratava de uma tentativa de assassinato. Sabia que, se fosse reunir-se com eles, poderia ser sequestrado. Viu as más intenções que se escondiam por trás da sua petição.

> A burocracia amarra o progresso. Evite-a, se for possível.

O principal é manter como principal aquilo que é principal.

Neemias terminou em um tempo recorde porque não permitiu que nada o distraísse. Manteve os olhos fixos em sua meta. Quatro vezes trataram de detê-lo ou atrasar seu trabalho. Em cada uma daquelas vezes, Neemias disse "não".

2. Continue trabalhando, apesar da difamação

Então, na quinta vez, Sambalate mandou-me um dos seus homens de confiança com a mesma mensagem; ele tinha na mão uma carta aberta em que estava escrito: "Dizem entre as nações, e Gesém diz que é verdade, que você e os judeus estão tramando uma revolta e que, por isso, estão reconstruindo o muro. Além disso, conforme dizem, você está na iminência de se tornar o rei deles, e até nomeou profetas para fazerem em Jerusalém a seguinte proclamação a seu respeito: 'Há um rei em Judá!' Ora, essa informação será levada ao rei; por isso, vamos conversar". Eu lhe mandei esta resposta: Nada disso que você diz está acontecendo, é pura invenção sua. Estavam todos tentando intimidar-nos, pensando: "Eles serão enfraquecidos e não concluirão a obra".[3]

Tentaram caluniar Neemias; desacreditá-lo. "O que acontece é que você quer levantar um império", o acusaram. "Nós sabemos o que você está fazendo." Desafiaram sua motivação e o acusaram de se rebelar contra o rei. Então, quando lhe enviaram a carta, não

> O principal é manter como principal aquilo que é principal.

a selaram, de propósito, para que todos a pudessem ler. Queriam que ela se tornasse pública, como as cartas a um editor. A finalidade era agitar rumores e suspeitas contra Neemias.

Se você tem grandes metas, vão criticá-lo. Talvez pessoas que estão com ciúmes do que você está fazendo até procurem denegrir sua imagem. Os fracassados odeiam o sucesso.

Jesus foi o homem mais falsamente acusado da história. Como ele respondeu aos que o caluniaram? Como ele nos pede para reagirmos diante das calúnias? Isto é o que ele diz:

Bem-aventurados serão vocês quando por minha causa, os insultarem, os perseguirem e levantarem todo tipo de calúnia contra vocês. Alegrem-se e regozijem-se, porque grande é a sua recompensa nos céus [...].[4]

Você sabia que cada vez que calunia alguém está fazendo a obra do Diabo? A palavra "Satanás" significa "caluniador". Caluniar é o trabalho dele. A Bíblia diz que Satanás é o acusador dos santos. Neemias compreendeu o que eles traziam nas mãos.

[3] Neemias 6.5-9a.
[4] Mateus 5.11,12a.

Na realidade, o que pretendiam era assustar-nos. Pensavam em desanimar-nos, para que não terminássemos a obra.[5]

Alguma vez você teve de suspender o trabalho que estava fazendo para se defender, porque alguém o criticou? Neemias disse: Não vou cair nessa armadilha. Não vou começar a responder aos rumores e às insinuações. Não vou deixar que me façam desanimar e colocar tudo a perder.

Enfrentar acusações falsas é uma das coisas mais difíceis que um líder tem de fazer. É muito desalentador. O que dá vontade de fazer é renunciar. Neemias não estava disposto a fazer isso. Negou as acusações e orou para pedir fortaleza. Compreendia o que os motivava e não cedeu.

> Os fracassados odeiam o sucesso.

Quando o criticarem ou o acusarem falsamente, lembre-se de Neemias. Nunca se dê por vencido!

O que Neemias fez foi orar. "E agora, SENHOR, fortalece as minhas mãos!"[6]

Quando nos acusam e nos atacam com falsidades, nossas emoções sofrem.

Abraham Lincoln dizia: "Se eu fosse ler — quanto mais responder — todos os ataques lançados contra mim, teria de fechar meu negócio. Faço o melhor, da melhor forma que sei, o melhor que posso. E assim penso continuar fazendo até o final. E, se ao final resultar que estou errado, então ainda que dez anjos jurem que não estou, não vai servir de nada".

O general MacArthur e Sir Winston Churchill disseram: "Não respondemos às críticas. Não respondemos à difamação. Não respondemos às acusações. Se o fizéssemos, todo o nosso tempo estaria dedicado somente a combater ataques".

Henry Ward Beecher disse: "A vida seria uma verdadeira caça às pulgas se ao ser humano fosse exigido que derrubasse todas as insinuações e acusações veladas sobre ele e a falsidade que lançam contra ele".

Ser líder significa nos dar conta de que haverá pessoas e coisas que tentarão tirar nossos olhos da meta.

[5] Paráfrase de Neemias 6.9a.
[6] Paráfrase de Neemias 6.9b.

É possível que digam algo que o fira e o difame. Quando isso acontecer, você terá de decidir: ou você passa todo o tempo lutando contra as críticas ou continua trabalhando no muro. Decida.

Neemias disse: "Eu vou continuar trabalhando no muro". Por isso, depois de cinquenta e dois dias, o muro estava pronto. Não cedeu diante das distrações nem da difamação. Sabia o que o inimigo tinha em mente, e não estava disposto a ceder.

3. Continue trabalhando, apesar do perigo

Um dia fui à casa de Semaías, filho de Delaías, neto de Meetabel, que estava trancado portas adentro. Ele disse: "Vamos encontrar-nos na casa de Deus, no templo, a portas fechadas, pois estão querendo matá-lo; eles virão esta noite". Todavia, eu lhe respondi: Acha que um homem como eu deveria fugir? Alguém como eu deveria entrar no templo para salvar a vida? Não, eu não irei! Percebi que Deus não o tinha enviado e que ele tinha profetizado contra mim porque Tobias e Sambalate o tinham contratado. Ele tinha sido pago para me intimidar, a fim de que eu cometesse um pecado agindo daquela maneira, e então eles poderiam difamar-me e desacreditar-me. Lembra-te do que fizeram Tobias e Sambalate, meu Deus, lembra-te também da profetisa Noadia e do restante dos profetas que estão tentando me intimidar.[7]

Agora aqueles obstinados inimigos estão tratando de assustar Neemias. Querem que ele creia que sua vida corre perigo. Compram o sacerdote Semaías, amigo de Neemias, e o fazem dizer a Neemias que existe um complô para assassiná-lo. A única maneira de estar seguro, disse a Neemias seu falso amigo, seria correr e se esconder no Lugar Santíssimo do Templo. O temor de Deus impediria que os assassinos entrassem ali. Neemias respondeu no versículo 11: "Homens como eu não correm e se escondem no templo para salvar sua vida! Não me esconderei!". Estava decidido a continuar trabalhando, apesar do perigo.

> Ou você passa todo o tempo lutando contra as críticas ou continua trabalhando no muro. Decida.

[7] Neemias 6.10-14.

O que impediu Neemias de ceder diante daquela ameaça de morte?

Em primeiro lugar, ele sabia que, se ele fizesse, seria um covarde. "Homens como eu não correm e se escondem!" Os líderes não saem fugindo. Neemias sabia que havia outras pessoas observando suas reações.

Em segundo lugar, Neemias era um homem perspicaz, e soube que aquele conselho não vinha do Senhor. No versículo 12, ele disse: "Percebi que Deus não o tinha enviado". Muitas pessoas que dizem trabalhar para Deus, na realidade, estão trabalhando para o inimigo. Talvez até sejam amigos ou parentes seus. É possível que não estejam conscientes de que o inimigo os está usando, mas lhe dão conselhos para seu benefício, e que não proveem de Deus.

Neste caso, Neemias reconheceu que havia uma agenda escondida. Soube que o conselho não procedia de Deus.

Tenho enfrentado casos de pessoas que participam da Igreja Saddleback e algumas vezes marcam uma reunião comigo. Oferecem-me um plano para mudar a igreja, ou me apresentam uma nova estratégia, e tudo porque Deus lhes disse que me dissessem. Quando terminam, eu lhes respondo: "É interessante. Eu falei com Deus nesta manhã e ele não me disse nada disso". Eu tenho o costume de falar com Deus. Se ele tem um plano novo para a Igreja Saddleback, estou à disposição para ouvi-lo.

Você precisa estar em comunicação constante com Deus também, para que ninguém possa enganá-lo com uma "mensagem secreta de Deus". Sim, às vezes, Deus usa outras pessoas para nos dar uma mensagem, mas necessitamos manter-nos em alerta, já que não é sempre o certo.

Ele tinha sido pago para me intimidar, a fim de que eu cometesse um pecado agindo daquela maneira, e então eles poderiam difamar-me e desacreditar-me.[8]

Se Neemias corresse para esconder-se no templo, poria em perigo sua integridade. Era contrário à lei que alguém que não fosse sacerdote entrasse no Lugar Santíssimo. O castigo para quem desrespeitasse essa lei era a morte. Neemias sabia disso.

Nunca permita que o medo o faça transgredir as leis de Deus. Isso é precisamente o que seus inimigos querem que você faça. Se não podem

---

[8] Neemias 6.13.

assustá-lo para que renuncie a tudo, vão tentar pressioná-lo para que desobedeça a Deus, e assim perca sua eficácia. Essas são as últimas tentativas desesperadas dos inimigos, e as mesmas coisas vão acontecer em sua vida se você se encontra em alguma posição de liderança.

O que quer que seus inimigos tentassem, Neemias continuava se recusando a abandonar tudo. Como consequência, "os muros foram construídos em cinquenta e dois dias". Algo simplesmente assombroso.

Os arqueólogos desenterraram uma parte do muro de Neemias, que tem uns 3 metros de um lado a outro, por 3,5 de largura. Imagine isto: depois de milhares de anos, continuam conosco as evidências da fidelidade e perseverança de Neemias para que possamos vê-las. Que evidências você vai deixar aos outros? Como as gerações futuras vão saber que você foi fiel a Deus? Isso é algo em que vale a pena pensar.

> Você precisa estar em comunicação constante com Deus também, para que ninguém possa enganá-lo com uma "mensagem secreta de Deus".

> Quando todos os nossos inimigos souberam disso, todas as nações vizinhas ficaram atemorizadas e com o orgulho ferido, pois perceberam que essa obra havia sido executada com a ajuda de nosso Deus.[9]

Os muros estavam prontos e a situação estava invertida. Os judeus já não se sentiam desalentados, deprimidos ou temerosos. Jerusalém era uma cidade fortificada. Agora, quem estava com medo? O inimigo, que havia perdido sua segurança.

Quando o inimigo não pode deter o projeto, lança-se para matar. Põe o líder na mira, como vemos no capítulo 6 de Neemias.

No futebol, um dos principais objetivos da defesa é eliminar o que dirige o ataque na equipe oposta. Se consegue eliminá-lo, há grandes possibilidades de que ganhe a partida.

> Nunca permita que o medo o faça transgredir as leis de Deus.

Tudo se edifica ou se derruba com a liderança. Não há organização, ministério, igreja, família, escola ou negócio que possa ultrapassar

[9] Neemias 6.16.

o ponto a que o levem seus líderes. Se tudo se levanta ou cai com o líder, então a forma mais rápida pela qual um inimigo detém todo esforço é neutralizar esse líder. Jesus disse que, quando se tira o pastor, espalham-se as ovelhas. Isso continua certo hoje. Quando Satanás quer deixar uma igreja aleijada, ataca seus líderes. E ele não para no pastor ou no resto da equipe pastoral; vai direto aos líderes leigos.

> Como as gerações futuras vão saber que você foi fiel a Deus? Isso é algo em que vale a pena pensar.

Como líder, você precisa se dar conta dessa tática. Há pessoas que não vão gostar de você. Não querem que você triunfe, e, por isso, vão atacá-lo. Há os que farão o que for necessário para fazê-lo fracassar. O modo pelo qual você enfrenta esses ataques pessoais determina o tipo de líder que você é.

Uma das lições básicas de Neemias é que os líderes são essenciais em todo projeto. Com os líderes de que necessitavam, puderam conseguir em cinquenta e dois dias algo que durante oitenta anos as pessoas haviam dito que não era possível fazer. Com o catalisador correto, os planos entram em ação.

> O modo pelo qual você enfrenta esses ataques pessoais determina o tipo de líder que você é.

Que tipo de pessoa é necessária para ir adiante com um projeto de grande importância? Que tipo de pessoa faz falta para alcançar o impossível? O que você, como líder, precisa para triunfar diante das distrações, da difamação e do perigo? Veja aqui as respostas de Deus, com o exemplo de Neemias.

1. O líder necessita de um propósito motivador

Este é o primeiro elemento da liderança. Você precisa de uma causa. Um sonho. Um objetivo. Uma meta. O propósito que impulsiona é o que vai empurrá-lo até a sua meta. Ele não apenas guia, mas o arrasta. Você precisa de um propósito que o motive.

A sensação de ter um propósito impulsionador, que era seu grande projeto, foi o que capacitou Neemias para resistir às distrações, quando seus inimigos lhe sugeriram que descansasse de seu trabalho por um momento.

Neemias era um homem resolvido. Sua capacidade de concentração foi uma das razões primordiais pelas quais os que estavam edificando os muros lograram o impossível em apenas cinquenta e dois dias. Neemias conhecia a forma de manter no posto principal o que era principal.

Qual é o propósito que impulsiona sua vida? O que é que o tira da cama todos os dias? O que é que o motiva a viver o resto de sua vida? Precisa ser algo mais que o desejo de fazer dinheiro. Caso contrário, o propósito se esvairá rapidamente e você ficará de mãos vazias.

Enquanto você não descobrir esse propósito, tudo o que você está fazendo é existir. Neemias disse: "Tenho um grande projeto!". O que você diz? Pelo que você está trocando sua vida?

Jesus disse: "O que o homem poderá dar em troca de sua alma?".[10] Quando você dá seu tempo para algo, você está investindo sua vida nisso. Isto é a vida: o tempo que você passa na terra.

Nós temos a tendência de pensar que a coisa mais importante que podemos dar às pessoas é nosso dinheiro. No entanto, o dinheiro pode ser substituído. Diferentemente do tempo, que é insubstituível. Em primeiro lugar, a característica de um grande líder é que ele tem um propósito que o impulsiona, uma meta que o faz superar tudo, move sua vida e o mantém lutando. Paulo diz: "Pois o amor de Cristo nos constrange [...]".[11]

> Enquanto você não descobrir um propósito que impulsione sua vida, tudo o que você está fazendo é existir.

A vida dos grandes homens é produzida por um compromisso com uma grande causa. Essa causa os tira para fora deles mesmos. Impulsiona-os a fazer e chegar a ser mais do que teriam podido ser por si próprios. Todos precisam ter um propósito motivador.

Desafio-o a que o maior dos propósitos, a maior das causas pelas quais você pode entregar sua vida seja o Reino de Deus. Não existe melhor investimento. O Reino de Deus vai durar por toda a eternidade. Grande parte das coisas em que gastamos tempo não dura nem vinte anos. Desafio você a decidir, agora mesmo, que, se lhe restarem cinco anos sobre a terra ou cinquenta, invista-os no Reino de Deus.

[10] Mateus 16.26.
[11] 2Coríntios 5.14.

Na Igreja Saddleback, temos uma declaração de propósito:

Um grande compromisso com o Grande Mandamento e a Grande Comissão construirá uma grande igreja.

Qual é a sua declaração de propósito? Cada vida deve ter uma. Essa proclamação define nosso propósito motivador. Se nunca escreveu uma, por que não fazê-lo agora mesmo? Adiante! Deixe o livro por um momento. Eu vou esperar você.

> A vida dos grandes homens é produzida por um compromisso com uma grande causa.

Em certa ocasião, houve alguém que pediu a Jesus que resumisse a Bíblia. Esta foi a resposta:

"Ame o Senhor, o seu Deus de todo o seu coração, de toda a sua alma e de todo o seu entendimento". Este é o primeiro e maior mandamento. E o segundo é semelhante a ele: "Ame o seu próximo como a si mesmo". Destes dois mandamentos dependem toda a Lei e os Profetas.[12]

Suas últimas palavras para a igreja, antes de retornar ao céu, foram:

Portanto, vão e façam discípulos de todas as nações, batizando-os em nome do Pai e do Filho e do Espírito Santo, ensinando-os a obedecer a tudo o que eu ordenei a vocês. E eu estarei sempre com vocês, até o fim dos tempos.[13]

Essas duas declarações de Jesus, conhecidas como o Grande Mandamento e a Grande Comissão, resumem tudo o que a igreja e nossa vida devem fazer. Quando obedecemos a essas palavras, amamos a Deus de todo o coração (adoração) e a nosso próximo como a nós mesmos (confraternização e ministério), fazemos discípulos (evangelismo), os trazemos à família de Deus (companheirismo)

> Um grande compromisso com o Grande Mandamento e a Grande Comissão construirá uma grande igreja.

e os ensinamos a observar todas essas coisas (discipulado), estamos realizando os cinco propósitos pelos quais a igreja existe.

[12] Mateus 22.37-40.
[13] Mateus 28.19,20.

Quando fundei a Igreja Saddleback, pedi a Deus: "Senhor, dá-me nossa razão de ser em uma só frase". Aquela foi a frase que ele me deu. É a chave, não só de uma grande igreja, mas do que é ser um grande cristão. Se é esse o anelo do seu coração, se você quer que sua vida sirva para algo, tenha um propósito motivador. Invista sua vida nestas cinco coisas: amar a Deus e ao próximo como a você mesmo, ir e fazer discípulos, ajudar as pessoas a conhecer Cristo e ensiná-las a crescer em Cristo. Não há causa maior do que essa.

Infelizmente, são muitas as pessoas que se desviam do seu propósito. A frase diz: "O que não está firme em algo qualquer coisa derruba".

2. O líder necessita de uma perspectiva clara

Neemias tinha um discernimento incrível; era quase como um radar espiritual. Cada vez que lhe armavam uma cilada, ele percebia. Cada vez que acontecia, ele farejava. No versículo 2 do capítulo 6, seus inimigos o convidaram para que saísse para conversar. Neemias discerniu qual era a verdadeira intenção deles. "Estão tramando algo para me fazer mal". Como soube? Era sagaz. Tinha discernimento.

Mais tarde, quando o acusaram de tentar fazer-se rei e de rebelar-se contra Artaxerxes, disse: "Em verdade, o que

> "O que não está firme em algo qualquer coisa derruba".

pretendiam era nos assustar". Pôs em evidência os verdadeiros motivos de seus inimigos. Quando aquele falso amigo lhe disse: "Vem para esconder-te no templo", ele percebeu que não era Deus quem o havia enviado. Tinha uma aguda capacidade de percepção. Pressentia que se tratava de uma cilada.

Como líder, você precisa ter percepção. Isso é chamado também de sabedoria. Como se adquire? A Bíblia diz: "Se algum de vocês tem falta de sabedoria, peça-a a Deus [...]".[14] Quando uma pessoa passa tempo com a Palavra de Deus, começa a receber a mente de Cristo. Assim é como nos convertemos em líderes mais lúcidos. Não nos deixamos enganar por tudo o que atravessa nosso caminho, porque estamos aprendendo a pensar como Jesus.

---

[14] Tiago 1.5.

O medo nubla nossa percepção. Neemias disse: "Aconteça o que acontecer, eu sigo adiante". Podemos definir o medo como o fato de as falsas evidências parecerem reais. Achamos que algo vai nos fazer dano, mas não é assim. Deus continua tendo o controle de tudo, e vai nos ajudar.

O líder precisa de um propósito motivador e uma perspectiva clara.

3. O líder necessita de uma vida de oração contínua

Quase podemos qualificar Neemias de viciado em oração. Sua primeira reação diante de qualquer coisa era orar. O que quer que acontecesse, orar era a primeira coisa que ele fazia. Quando estiverem difamando você, também é isso a primeira coisa que deve fazer. Em lugar de se incomodar com a pessoa, fale com Deus. Neemias não ficou na defensiva, tampouco se vingou quando seus inimigos começaram a levantar falsas acusações contra ele. Limitou-se a dizer: "Isso não é correto". Você não precisa montar uma grande defesa. Apenas diga: "Não é correto", e depois vá e fale com Deus.

Então Jesus contou aos seus discípulos uma parábola, para mostrar-lhes que eles deviam orar sempre e nunca desanimar.[15]

Na vida, sempre estamos fazendo uma coisa ou outra. Ou oramos, ou nos desanimamos. Quando estamos sob pressão, oramos ou entramos em pânico. Precisamos de uma vida de oração contínua.

4. O líder necessita de uma perseverança intrépida

Uma das grandes chaves de todo sucesso é a capacidade para seguir em frente.

Pura tenacidade. Seguir fazendo o que Deus quer que façamos. Se você estudasse todas as mensagens que Deus me tem dado ao longo dos anos, iria ver que, basicamente, tenho dois temas: um é para os não cristãos e o outro é para os cristãos. Para os não cristãos, meu tema é: "Deus se interessa por você, você é importante para ele". Digo isso de muitas maneiras distintas. Para os cristãos, minha mensagem básica é "Não se desanime!", todos nos fatigamos na batalha diária.

---

[15] Lucas 18.1.

A mensagem de Deus é esta: "Não se desanime!". Você precisa ter uma perseverança intrépida.

A coragem não consiste na ausência de temor. A coragem consiste em seguir adiante, apesar do temor. A falta de temor não significa que sejamos pessoas corajosas; talvez possa significar que sejamos pessoas tolas. Talvez você não perceba a seriedade da situação. A coragem é o que nos faz seguir, apesar do nosso temor. Neemias disse: "Não vou sair fugindo. Admito que estou assustado; tenho medo. Mas estamos alcançando a meta. Tudo o que falta fazer é apenas colocar as portas. Sei que querem me matar, mas vou seguir em frente apesar do meu temor. Não vou sair fugindo". Neemias tinha uma perseverança intrépida.

Como você sabe que tem medo? Você tem medo quando sente um insaciável desejo de fugir: do seu trabalho, do seu casamento, de uma relação, da casa, e tudo isso porque você tem medo de não poder enfrentar as situações. Você quer sair correndo. Isto aprendi acerca do temor: *nunca* constitui a vontade de Deus para mim que eu fuja de uma situação difícil. Se faço isso, Deus trará outra pessoa depois para que possa me ensinar uma lição. Penso que isso também é correto com respeito à sua vida. Adiante! Enfrente a realidade.

> A coragem não consiste na ausência de temor. A coragem consiste em seguir adiante, apesar do temor.

E não nos cansemos de fazer o bem, pois no tempo próprio colheremos, se não desanimarmos.[16]

Você precisa ter um propósito motivador que domine sua vida de tal maneira que não exista nada trivial que o possa distrair. Há um jogo chamado Trivial Pursuit,[17] que descreve muitas coisas da vida das pessoas. Observe sua vida mais de perto. Onde é que o inimigo está tentando desviar você do melhor que Deus tem para sua vida? Às vezes, poderá ser difícil discernir. Com frequência, Satanás usa coisas boas para nos afastar das melhores. O que é que está consumindo seu tempo e o afastando do que é realmente importante para sua vida? O que realmente importa? A Bíblia diz: amar a Deus e ao nosso próximo como a nós mesmos; adorar e ministrar.

---

[16] Gálatas 6.9.

[17] Jogo de tabuleiro, cujo progresso do jogador depende de sua habilidade em responder a perguntas de conhecimento geral e de cultura popular.

Se você está demasiadamente ocupado para adorar, excessivamente agitado para ter um momento tranquilo a cada dia, demasiadamente cheio de coisas que o impedem de ministrar, então está excessivamente ocupado. Todas essas atividades que o distraem agora não terão nenhuma importância daqui a alguns anos. Entretanto, o que você estiver fazendo para Deus vai durar toda a eternidade. Na realidade, onde você quer investir seu tempo? Satanás nos agarra substituindo tudo isso por coisas supostamente boas. O tempo está limitado pelas exigências da vida. Pense no que você precisa diminuir a fim de ter tempo para o ministério. Crie tempo para o que Deus quer que você faça.

> Com frequência, Satanás usa coisas boas para nos afastar das melhores.

Quais são os segredos dos bem-sucedidos? Repassemos a lista mais uma vez, para termos certeza de que compreendemos:

1. **Uma perspectiva clara.** Que nível de sensibilidade espiritual você tem? Conhece a Palavra o suficiente para poder detectar as ciladas?
2. **Uma vida de oração contínua.** Como está sua vida de oração? É contínua? Você está orando ou sente desânimo?
3. **Uma perseverança intrépida.** Até que ponto você é perseverante na hora de cumprir a vontade de Deus? Você tomou alguma vez esta decisão: "Vou seguir Jesus 100%, e não me importa o que aconteça, nem o preço a ser pago, nem o que tiver de fazer, nem o que as pessoas pensem de mim, nem os desvios ou perigos. Vou fazer o que devo fazer"? Você se mantém firme nessa decisão? Se a resposta é "não", ou um "na verdade, não estou indo tão bem", não se dê por vencido. Nunca é tarde para voltar para Deus.

Essas são as características das pessoas de sucesso. Assim Neemias pôde fazer em cinquenta e dois dias o que o povo havia dito durante oitenta anos que era impossível ser feito. E é assim que você também vai poder fazer grandes coisas para Deus.

> Nunca é tarde para voltar para Deus.

Uma das grandes lições de Neemias é que tudo se levanta ou cai, conforme seus líderes. O mundo tem uma urgente necessidade de líderes.

Se a igreja não os está produzindo, adivinhe quem vai produzi-los. Eu o desafio a se dedicar por inteiro a seu ministério de liderança.

Repita comigo: "Eu não sei o que posso fazer, mas vou fazer o que puder com o que tenho, vou fazê-lo para Jesus Cristo hoje. Senhor, estou disposto a te seguir aonde for, na hora que for, e fazer isso quando me pedires. Talvez eu tenha somente um talento, não cinquenta, ou quinze, ou cinco, mas esse talento que tenho quero usar para ti". A vida não pode chegar a ter um propósito maior que o de servir ao Reino de Deus.

Eu o desafio a dizer: "Ainda que eu fique sozinho um dia, uma semana ou um ano — o que tu quiseres me conceder —, quero assumir um grande compromisso com o Grande Mandamento e a Grande Comissão". Se você se consagrar a essas duas coisas, a fazer o

> A vida não pode chegar a ter um propósito maior que o de servir ao Reino de Deus.

que dizem esses dois versículos, você vai ser um grande líder. As grandes pessoas não são nada mais do que pessoas comuns que assumem um grande compromisso com uma grande causa.

Talvez você precise dizer: "Senhor, dá-me uma perspectiva clara. Estou fazendo muitas coisas, e me dei conta de que, na realidade, são atividades triviais. Mostra-me o que eliminar para que sobre tempo para o que é verdadeiramente importante".

Talvez você se sinta a ponto de se dar por vencido. Talvez nem saiba como chegar ao dia de amanhã. Você quer orar para que Deus desenvolva em você uma vida de oração contínua? Quer orar em lugar de desfalecer? Você quer pedir a Deus a intrépida perseverança de continuar fazendo o que você sabe que é o correto? A coragem consiste em seguir adiante, apesar de seu temor. Algumas vezes dizemos:

> As grandes pessoas não são nada mais do que pessoas comuns que assumem um grande compromisso com uma grande causa.

"Tenho medo de me envolver na liderança. Posso sair ferido. Posso fazer algo que me envergonhe". Sim, é possível. A coragem, no entanto, consiste em seguir em frente, apesar de seus temores, sabendo que Deus está com você. Ele tem o grande desejo de usá-lo; tudo o que você precisa fazer é deixar que ele use sua vida.

Senhor, toma minha vida. Quero que me uses. Lembre-se do grande sacrifício que Cristo fez por você. Por acaso isso não exige de você um sacrifício mais profundo?

Senhor, o que tu fizeste por mim merece que eu te consagre tudo o que tenho. Você estaria disposto a dizer isso, de todo o seu coração, agora mesmo?

Senhor, peço-te que levantes uma geração de Neemias entre os que estão lendo este livro. Levanta líderes; líderes piedosos, pessoas com um propósito que as impulsione a servir em teu Reino; pessoas que tenham uma clara perspectiva do que é realmente importante na vida: uma oração contínua e uma intrépida perseverança. Pedimos-te em nome de Jesus. Amém.

GUIA PARA APLICAÇÃO DO PRINCÍPIO 9

Os segredos dos bem-sucedidos

Aplicando os propósitos de Deus

Comunhão – Deus não nos fez como ilhas autossuficientes, ele nos colocou num corpo de cristãos para que nos apoiemos mutuamente nos momentos de necessidade.

- O que os cristãos podem fazer melhor juntos do que separados?
- Como líder, de que maneira seu grupo de crescimento ou célula, igreja ou amigos cristãos o ajudam a seguir em frente quando você diz "Eu me rendo"?

Discipulado – Quando teve de escolher entre lutar contra a crítica e continuar construindo seu muro, Neemias escolheu o muro.

- Quem provocou essa atitude determinante em Neemias?
- Existem outras pessoas que observam e aprendem com a sua liderança e a sua vida. Tendo isso em conta, de quem você deveria aprender?
- O que você pode fazer para ter a certeza de que sua vida é um modelo a ser seguido?
- No futuro, você terá de enfrentar críticas que tentarão deter seu progresso com o Senhor. Como você vai reagir diante disso?

Ministério – Amar o próximo como a nós mesmos. Esse é o ministério! Lembre-se de que liderança quer dizer ser exemplo.

- De que maneira você pode encorajar outro cristão no dia de hoje?
- Você conhece alguém cuja carga pode ser aliviada com um chamado telefônico, um *e-mail* ou um abraço? Peça a Deus que revele essa pessoa a você e permita ser suas mãos e pés. Diga a alguém que precise ouvir: Não se renda!

Evangelismo – Deus nos comissionou para compartilhar suas boas-novas com outros. O Senhor nos apoia quando cumprimos esse mandamento.

- Como Neemias evangelizava Sambalate, Tobias e Gesém?

- O que isso tem a ver com sua função de liderança?

- Decida seguir a liderança de Deus em tudo o que você faz. Permita que ele fale ao coração até de seus inimigos. Não admita que o medo mantenha você separado de seu chamado. Permita que o mundo saiba que Deus ama a todos. Diga que Deus se preocupa com eles.

Adoração – Adoramos o Senhor amando-o com todo o nosso coração.

- Como se evidencia nosso amor por ele em nosso compromisso de seguir seu propósito para nossa vida?

- Você descobriu o propósito de Deus para sua vida e está trabalhando para alcançá-lo?

- Se não está seguro, fale com o Senhor agora mesmo e peça a ele que lhe dê o fogo de Neemias para alcançar seus objetivos.

PONTOS PARA REFLEXÃO

Que muralhas você deve reconstruir em sua vida? Você está comprometido com essa reconstrução, ou a desorganização, o desânimo e o medo estão impedindo você de se mobilizar para isso? Peça a Deus que o ajude a aplicar as características que vemos na vida de Neemias para poder alcançar o sucesso.

Uma vez que tenha alcançado seu objetivo, o próximo desafio na liderança é manter-se no sucesso. No próximo capítulo, ensinaremos você a manter o troféu que alcançou.

Mas somente você e seus filhos poderão servir como sacerdotes em tudo o que se refere ao altar e ao que se encontra além do véu. Dou a vocês o serviço do sacerdócio como um presente. Qualquer pessoa não autorizada que se aproximar do santuário terá que ser executada (Números 18.7).

CAPÍTULO 10

Como os líderes
mantêm o sucesso

O muro ficou pronto no vigésimo quinto dia de elul, em cinquenta e dois dias.[1]

"**P**arabéns, Neemias! Você conseguiu! Você terminou a obra. Fez o que tinha de fazer." Não é o que dá vontade de dizer depois de ler esse versículo? "Agora, Neemias, descanse. Você trabalhou duro. Você merece umas férias."

Você já chegou a algum ponto importante dentro de um projeto? Respirou fundo de satisfação, e depois sentiu que um pensamento o fazia voltar à realidade como se fosse uma bofetada? "E agora, o quê? Se a reconstrução dos muros fosse um grande jogo de ligas de futebol, a resposta seria: 'Agora, eu fico com a taça de campeão!' "

No entanto, a verdade é que seu trabalho só está na metade. A forma pela qual nos comportamos diante das vitórias fala muito sobre nós, fala do nosso caráter e do nosso sistema de valores. Um dos momentos mais perigosos na vida é quando você alcança uma meta. O que acontece quando você obtém o que havia proposto fazer, e não tem nenhuma outra meta para seguir? Agora sim, você está com um problema. O sucesso destrói muitas pessoas. Tornamo-nos cômodos, satisfeitos... e inúteis. Todo o impulso que conseguimos ter para o grande projeto acabou. Eu tenho visto isso acontecer uma e outra vez. No momento em que terminam um edifício, as pessoas lançam um suspiro coletivo de alívio e gritam: "Chegamos, estamos na Terra Prometida!". E param de crescer.

---

[1] Neemias 6.15.

Pense agora em pessoas que você conhece, ou que conhecem alguém que cedo conseguiram grande sucesso na vida. Com frequência, em vez de se manterem motivados dentro do caminho da vitória, o que fazem é parar. Sentem-se satisfeitos, acomodam-se e nunca dão um passo a mais. Isso pode acontecer a qualquer um de nós. Se nos descuidarmos, podemos perder o que nos custou tanto trabalho.

O que um líder pode fazer para manter seu sucesso? Neemias tem algumas sugestões para nós. Neste capítulo, veremos como se assegurou de que suas conquistas durariam.

O capítulo 7 é a linha divisória dentro do livro de Neemias. A primeira fase de sua vida foi a etapa da construção. A segunda foi o período da consolidação. Nos seis primeiros capítulos, lemos a respeito da reconstrução dos muros. Os capítulos 7 a 12 descrevem a consolidação da cidade. São duas fases muito diferentes. Na sua vida, Neemias passou de copeiro do rei a governador de Judá. Agora acabou o grande esforço para levantar os muros e seu papel muda de novo. Ele tem de usar um conjunto diferente de habilidades como líder.

Não fazer a transição entre construir e manter é a principal razão pela qual os negócios quebram, as igrejas não crescem e as organizações fracassam. O problema da transição é este: os líderes não sabem crescer com a organização. Não têm as habilidades necessárias para a próxima fase. Como consequência, enforcam a igreja ou o negócio no momento que começam. Se os líderes não adotam as novas habilidades que fazem falta para manter seu êxito, o que levantaram morrerá.

Dois tipos de líder

Existem dois tipos de líder. O Tipo Um eu chamo de "catalisador". O catalisador é o que põe em movimento o projeto. O Tipo Dois é o "consolidador". Este é o que mantém o projeto em movimento, uma vez levantado. O Tipo Um é o idealizador e o Tipo Dois é o executor. Os consolidadores desenvolvem o que os idealizadores projetaram. O Tipo Um é o motivador. O Tipo Dois é o administrador. Este sabe fazer que, uma vez estabelecido, o projeto levantado por aquele funcione sem problemas. O Tipo Um é o empreendedor. Geralmente, começa algo por ele mesmo. No entanto, à medida que a organização cresce, o empreendedor deve converter-se no executivo. Os executivos trabalham por meio de outros. Sabem que não podem manter sozinhos o que fizeram andar.

Há dois tipos claramente distintos de habilidade na liderança. Ambos são necessários nas igrejas, nas famílias, no governo e nos negócios. Para começar, é necessário o catalisador do Tipo Um: o idealizador, motivador, empreendedor. Mais tarde, na fase de consolidação, são necessários os administradores e os desenvolvedores do Tipo Dois, pessoas que sabem administrar ou levar adiante a operação diária.

Paulo é um bom exemplo de líder do Tipo Um. Era um pioneiro, um homem que nunca ficava muito tempo no mesmo lugar. Fazia andar algo e dizia: "Agora você toma conta". Deixava Timóteo, Tito, Epafrodito ou algum outro administrador responsável pela manutenção diária do que ele havia começado. Paulo era um líder do Tipo Um. Em contrapartida, Timóteo, Tito e Epafrodito eram líderes do Tipo Dois.

> Não fazer a transição entre construir e manter é a principal razão pela qual os negócios quebram, as igrejas não crescem e as organizações fracassam.

A Bíblia diz: "A razão de tê-lo deixado em Creta foi para que você pusesse em ordem o que ainda faltava e constituísse presbíteros em cada cidade, como eu o instruí".[2] Outras versões dizem: "Por esta causa te deixei em Creta, para que corrigisses o deficiente, e estabelecesses anciãos em cada cidade, assim como eu te mandei".

"Para que pusesses em boa ordem o que ainda resta".[3] O líder sábio conhece seus pontos fortes e seus pontos fracos, e os compensa por meio de uma equipe de trabalho. É muito raro encontrar um líder que seja catalisador e consolidador ao mesmo tempo. Quando o encontramos, geralmente está entre os milionários, são as pessoas que manejam os maiores negócios. Trata-se de personalidades dinâmicas que também têm a capacidade de crescer com a organização.

Neemias era um desses homens. Sabia mudar de responsabilidades. Quando terminou o muro, deixou o capacete pesado de construtor para colocar o traje fino de executivo. Na fase seguinte da sua vida,

---

[2] Tito 1.5.

[3] Tito 1.5, **AEC**.

Neemias necessitou de um conjunto de habilidades totalmente diferentes das que havia utilizado até o momento. Neemias estava pronto. No capítulo 7, ele demonstra suas tarefas gerenciais, essenciais para o crescimento consolidado. Você sabia que, entre 90 e 95% das igrejas fundadas, nunca se passa de 200 ou 300 pessoas? Chegam a esses números e depois diminuem de tamanho. Sobem e descem. Porque os líderes não sabem fazer a transição que Neemias apresenta no capítulo 7, suas igrejas nunca crescem. A menos que o líder desenvolva essas habilidades, a organização nunca passará do ministério de apenas um homem.

COMO MANTER O QUE SE CONQUISTA?

1. **Recrutando líderes**. Buscando, preparando e envolvendo outras pessoas e lhes delegando tarefas.
2. **Registrando o progresso**. Mantendo um bom registro dos recursos existentes.
3. **Obtendo apoio financeiro**. Achando os fundos necessários para financiar a operação que está sendo levada a cabo.

A Bíblia diz que toda a Escritura é proveitosa. Como líder, decida agora mesmo aproveitar as lições de Neemias. Veja o que ele fez para obter sua transição de catalisador a consolidador.

1. Recrute mais líderes

> Depois que o muro foi reconstruído e que eu coloquei as portas no lugar, foram nomeados os porteiros, os cantores e os levitas.[4]

Assim que acabaram os muros e colocaram as portas, Neemias contratou mais pessoas. Nomeou três classes distintas de líderes.

Porteiros – Os guardiões, os vigilantes e a polícia da cidade. Seu trabalho consistia em proteger e manter a paz.

Cantores – Eram os líderes da adoração. A adoração era importante para Israel.

Levitas – Eram os ajudantes dos sacerdotes.

---

4   Neemias 7.1.

> Para governar Jerusalém encarreguei o meu irmão Hanani e, com ele, Hananias, comandante da fortaleza, pois Hananias era íntegro e temia a Deus mais do que a maioria dos homens.[5]

Neemias nomeou seu irmão Hanani, um líder civil, como "prefeito" de Jerusalém. Enquanto isso, Hananias tornou-se comandante da fortaleza, algo semelhante, hoje, ao chefe de polícia. Em sua condição de governador, Neemias tinha agora um pessoal completo e contava com porteiros, cantores, levitas, um prefeito e um chefe de polícia. Estava demonstrando uma habilidade de liderança-chave em toda organização que cresce: a capacidade para delegar. Estava envolvendo outras pessoas. Sabia que a administração diária da província era serviço para mais de um homem, assim, estava entregando a responsabilidade, repartindo-a. Isso aconteceu muito tempo antes dos seminários de Peter Drucker, e de livros como *Em busca da excelência*, de Tom Peters[6]. No entanto, Neemias compreendia os princípios básicos da administração. Sabia que era necessário dividir a responsabilidade.

> Alguém pode sonhar, desenhar, criar e construir o lugar mais maravilhoso do mundo, mas fazem falta pessoas para que o sonho se converta em realidade.
>
> WALT DISNEY

Neemias sabia que nenhuma organização poderia chegar a estabilizar-se, se estivesse edificada sobre uma só pessoa. O líder eficaz necessita passar de empreendedor a executivo. No princípio, Neemias fazia tudo. Não havia comitê, ele não pedia opinião a ninguém e não tinha mais líderes. Ele fazia tudo. Neemias colocava sua mão em tudo.

No início de todo projeto, o empreendedor deve envolver-se em todas as etapas do caminho. No entanto, à medida que o projeto vai crescendo, ele precisa delegar responsabilidades. O líder necessita entregar cada vez mais responsabilidades a seu pessoal, aos líderes leigos ou a outros ajudantes. A participação em tudo é magnífica para que o projeto comece a andar, mas, a longo prazo, não é uma forma eficaz de administrar.

---

[5] Neemias 7.2.

[6] PETERS, Tom. **En busca de la excelência**. [S.l.]: Warner Books, 1986.

Quando comecei a Igreja Saddleback, em 1980, minha meta era entregar o ministério. No princípio, minha esposa, Kay, e eu fazíamos tudo. Eu imprimia os boletins, preparava as cadeiras, as recolhia, planejava o culto, pregava, e às vezes recolhia as ofertas. No entanto, minha meta continuava sendo trabalhar de maneira que não fosse necessária a minha presença, entregar o ministério. Ainda que tivesse sido eu quem iniciou a igreja e a ergueu, ela não foi levantada *sobre* mim. Fomos buscando outros líderes, outras pessoas, mais pessoal, e entregando as responsabilidades do ministério.

> Alguém pode sonhar, desenhar, criar e construir o lugar mais maravilhoso do mundo, mas fazem falta pessoas para que o sonho se converta em realidade.

Já em 1989, a única coisa que ficou para eu fazer era pregar. Depois também comecei a compartilhar a pregação. Assim se entrega o ministério. O líder eficaz delega. Se eu tivesse mantido todas as responsabilidades, como no princípio, a Igreja Saddleback teria deixado de crescer ao chegar a 150 pessoas. Assim como estão as coisas, Saddleback me superou já faz muito tempo.

Um dos preços do crescimento que você deve estar disposto a pagar é ter pessoas em sua equipe as quais talvez você nunca veja ou com as quais nunca fale. Nosso ego precisa ser capaz de compartilhar a liderança. Há pessoas em Saddleback para pedir conselhos, ou para casamento, e não me perguntam nada. Isso não me causa nenhum problema. Se eu fosse o único homem santo e preparado em Saddleback, teria ainda uma igreja muito pequena. A capacidade, o tempo,

> O líder eficaz delega.

o esforço, a energia, o talento e os conhecimentos de uma pessoa têm suas limitações. Por isso, Deus fez mais de uma pessoa. Você vai entregando o ministério. Vai entregando a liderança. Esse é o princípio da delegação.

Neemias disse: "Já levantamos a muralha. Chegou a hora de nos assegurarmos de que não iremos perdê-la. Vamos distribuir a liderança". E delegou responsabilidades.

Já que tudo se levanta ou cai de acordo com a liderança, o tipo de líder que você escolher é essencial. Se você tem as pessoas erradas em posição de liderança, elas podem semear sementes de destruição em qualquer empreendimento, ministério ou programa.

Que tipo de líder Neemias procurou? O que é importante para você ao escolher as pessoas que vão ajudá-lo? Procure o mesmo modelo de pessoa que Neemias buscou: gente íntegra, piedosa e fiel.

A. Integridade

> Para governar Jerusalém encarreguei o meu irmão Hanani e, com ele, Hananias, comandante da fortaleza, pois Hananias era íntegro e temia a Deus mais do que a maioria dos homens.[7]

Primeiro tem de haver integridade. O denominador comum da liderança é a integridade. Se você não é digno de confiança, quem vai segui-lo? E, se ninguém o segue, você não é um líder. John Maxwell disse: "O que acredita ser líder, mas ninguém o segue, está só se distraindo".

Você precisa ser íntegro. A liderança se edifica sobre a confiança. Se as pessoas confiam em você, você é um líder. Se não confiam, você não é, e não importa o título que você dê a si mesmo. No momento em que você tenha de

> O denominador comum da liderança é a integridade.

dizer às pessoas que é o líder, já deixou de sê-lo. A liderança tem a ver totalmente com a confiança.

B. Piedade

> [...] era íntegro e temia a Deus mais do que a maioria dos homens.[8]

Neemias buscou pessoas que levassem a sério sua relação com Deus. Temer a Deus significa ter reverência para com ele: Está claro que Hanani era um homem espiritual que levava Deus a sério.

> A liderança tem a ver totalmente com a confiança.

Quando Deus procura líderes, ele quer saber que tipo de pessoa são. Qual relação têm com ele. A piedade é uma qualidade-chave para os líderes que Deus usa.

---

[7] Neemias 7.2.

[8] Neemias 7.2b.

C. Fidelidade

Tanto Hanani como Hananias tinham toda uma história de relação com Neemias. Ele os conhecia, e já haviam trabalhado juntos. Hanani foi quem fez a longa viagem até a Pérsia para falar com Neemias sobre os muros. Ele foi o que buscou a ajuda de Neemias. Se não houvesse dado o passo inicial, talvez Neemias nunca tivesse ido reconstruir os muros. Sua fidelidade demonstrava que era digno de confiança.

Devem ser primeiramente experimentados; depois, se não houver nada contra eles, que atuem como diáconos.[9]

Quando colocamos numa posição de liderança alguém que não foi provado, nove de cada dez vezes se tratará de uma bomba-relógio. Você pode ter certeza disso. Procure pessoas que tenham demonstrado ser dignas de confiança.

O senhor respondeu: "Muito bem, servo bom e fiel! Você foi fiel no pouco, eu o porei sobre o muito. Venha e participe da alegria do seu senhor!".[10]

As ascensões têm como base a fidelidade. Se formos fiéis nas coisas pequenas, Deus nos dá coisas maiores.

E as palavras que me ouviu dizer na presença de muitas testemunhas, confie-as a homens fiéis que sejam também capazes de ensiná-las a outros.[11]

Paulo está dizendo a Timóteo: "O que você tem visto e ouvido em mim, eu dou a você. Você tem de entregar a pessoas fiéis e de confiança que reúnam as qualidades para ensinar aos outros. Comunique-o segundo a fidelidade deles. Invista em pessoas fiéis".

Deus escolhe líderes com base em duas coisas: sua vida pessoal e sua atuação no passado. Isso é sobre o que devemos orar quando estamos buscando um líder.

Eu lhes disse: As portas de Jerusalém não deverão ser abertas enquanto o sol não estiver alto. E antes de deixarem o serviço, os porteiros

9   1Timóteo 3.10.
10   Mateus 25.23.
11   2Timóteo 2.2.

deverão fechar e travar as portas. Também designei moradores de Jerusalém para sentinelas, alguns em postos no muro, outros em frente das suas casas.[12]

Neemias escolheu seus líderes, e agora lhes deu uma clara descrição de suas responsabilidades. Ele lhes faz algumas indicações muito concretas. "Vigiem; mantenham-se em guarda, estejam alerta, tenham cuidado". Os muros já foram levantados, as portas estão em seu lugar, mas temos de continuar vigiando.

As portas de uma cidade eram a chave de sua segurança. Imagine isto: Durante os cinquenta e dois dias passados, o povo trabalhou dia e noite para reconstruir seus formosos muros. Agora, já estavam terminados. As gigantescas portas estão em seu lugar. Então, uma noite que eles se esquecem de designar vigias, um inimigo desliza por dentro da cidade e volta a capturá-los. Isso não seria trágico?

Deus quer que você compreenda este princípio: *o que é obtido precisa ser cuidado.*

Essa é a razão para a história de Neemias estar na Bíblia. Se você não cuida do que obteve, vai perdê-lo. Nunca esteja seguro de que, por haver alcançado certo nível de êxito, você vai permanecer, sem nenhum esforço, no lugar a que chegou. Temos de proteger o que alcançamos. Você já se esforçou para perder peso, só para ver depois como voltam os quilos e os centímetros com mais rapidez que antes, e tudo porque você não estava cuidando do que havia ganhado (ou perdido!)? Os sucessos do passado não são garantia de um sucesso contínuo. Nós podemos passar anos aprendendo um idioma estrangeiro, e o esquecemos simplesmente porque não o utilizamos. É um princípio da vida: use-o ou perca-o.

> O que é obtido precisa ser cuidado.

Esse princípio também é certo em nossa vida espiritual. Podemos chegar a grandes sucessos em nosso caminhar com Cristo, só para perder terreno e cair depois, quando baixamos a guarda. Quando falo com pessoas que estão espiritualmente caídas, percebo que não se trata de que agora amo ao Senhor e, dentro de um minuto, não o amo mais. Essas pessoas passaram de amar a Deus agora para esquecê-lo dentro de um minuto.

[12] Neemias 7.3.

Não é um amor que se transformou em ódio, mas uma simples questão de descuido. Quanto você precisa se esforçar para que ervas daninhas nasçam em seu quintal? Nada! Crescem sozinhas enquanto não estamos atentos. As ervas daninhas são um sinal de descuido. E as ervas daninhas do espírito crescem até nos asfixiar, se descuidamos das coisas básicas da vida cristã. Precisamos proteger o que temos ganhado, tanto no físico como no espírito.

> Nunca esteja seguro de que, por haver alcançado certo nível de êxito, você vai permanecer sem nenhum esforço, no lugar a que chegou.

Portanto, estejam com a mente preparada, prontos para agir; estejam alertas e ponham toda a esperança na graça que será dada a vocês quando Jesus Cristo for revelado.[13]

Nas Escrituras, vemos que Jesus diz muitas vezes: "Vigiem e orem". Precisamos vigiar nossa vida pessoal com o fim de não perder terreno para o Diabo.

> Os sucessos do passado não são garantia de um sucesso contínuo.

O primeiro princípio para manter o que já ganhamos é recrutar novos líderes e delegar responsabilidades. Crie um sistema de apoio no qual nem tudo dependa de você.

2. Registre seu progresso (veja página 211)

Para sobreviver, é essencial manter bons registros contábeis. Você precisa estabelecer algum tipo de sistema de contabilidade e manutenção de estatísticas. A contabilidade geralmente se refere ao dinheiro, mas, em Neemias 7, vemos que ele está fazendo uma estatística das pessoas. As pessoas são mais importantes que o dinheiro. Nossos registros sobre elas devem ser pelo menos tão bons como a nossa contabilidade financeira, e talvez melhores do que ela.

> As ervas daninhas do espírito crescem até nos asfixiar, se descuidamos das coisas básicas da vida cristã.

---

[13] 1Pedro 1.13.

Registre seu progresso, mantenha o rastro de seu povo. Neemias fez um censo. Não era só para ver quantas pessoas havia ali, mas também para ver quem eles eram. O capítulo 7 é o mais comprido do livro, porque é uma lista de descendências e genealogias.

Para a maioria de nós, parece-nos aborrecedor ler essas listas, e nós as saltamos. No entanto, foi Deus quem as colocou ali. De fato, há três listas de nomes no livro de Neemias, nos capítulos 7, 11 e 12; três listas completas de pessoas. Seus nomes não têm grande importância para você ou para mim, mas tiveram para Neemias. Para ele, as pessoas eram importantes. E significaram muito para Deus. Caso contrário, não estariam na Bíblia. Para Deus, as pessoas são importantes.

> Crie um sistema de apoio no qual nem tudo dependa de você.

> Ora, a cidade era grande e espaçosa, mas havia poucos moradores, e as casas ainda não tinham sido reconstruídas. Por isso o meu Deus pôs no meu coração reunir os nobres, os oficiais e todo o povo para registrá-los por famílias. Encontrei o registro genealógico dos que foram os primeiros a voltar. Assim estava registrado ali [...].[14]

Neemias está começando um programa populacional. Ele construiu os muros que rodeiam a cidade. Colocou as portas no seu lugar. Agora se dá conta de algo: poucas pessoas vivem na cidade. Enquanto os muros estavam destruídos, ali não era um lugar seguro para se viver e, por isso, as pessoas iam se mudando para os campos. Neemias compreendeu a necessidade de atrair novamente pessoas à cidade, para fortificá-la internamente. Se a cidade de Deus necessitava de proteção, ele precisava de pessoas que vivessem ali para cuidar dela. Por isso, disse: "Vou fazer um censo, para averiguar quantos somos e quem somos. Depois, vamos fazer que certo número (talvez 10%) volte a morar na cidade". Ele compreendia a necessidade de reforçar as estruturas internas. Essa é a segunda coisa que você precisa fazer no processo de consolidação. Para que Jerusalém continuasse adiante, precisava ter gente suficiente nos lugares corretos, a fim de

> As pessoas são mais importantes que o dinheiro.

[14] Neemias 7.4,5.

ser forte. O que Neemias estava fazendo parecia muito com um programa de renovação urbana.

> Ora, a cidade era grande e espaçosa, mas havia poucos moradores, e as casas ainda não tinham sido reconstruídas. Por isso o meu Deus pôs no meu coração reunir os nobres, os oficiais e todo o povo para registrá-los por famílias. Encontrei o registro genealógico dos que foram os primeiros a voltar. Assim estava registrado ali [...].[15]

Neemias sabia que era Deus quem o havia inspirado a contar toda aquela gente. Vejamos o que diz a Palavra: "Por isso o meu Deus pôs no meu coração [...]". O verdadeiro líder se mantém em sintonia com Deus. Foi Deus quem lhe disse que fizesse o que estava fazendo. Se Neemias não tivesse permanecido perto de Deus, e com o costume de falar com ele, não saberia o que tinha de fazer. Agora sabia que era Deus quem o havia inspirado a manter bons registros. A contabilidade é um ministério espiritual. Tudo o que tenha a ver com a obra de Deus é um ministério espiritual.

Desde o versículo 7 até o 69, temos a contagem do povo. Ele faz uma lista dos líderes, divide o povo por famílias e por cidades, põe na lista também os líderes religiosos e os sacerdotes, os levitas e os cantores, os criados do templo, os descendentes de Salomão, e até aqueles cujo sangue não era 100% judeu. Depois das pessoas, faz uma lista das propriedades: o gado e outros bens. Neemias contabiliza tudo. No final, lemos o grande total de: 49.942 pessoas.

Neemias era responsável por uma cidade de cerca de 50 mil pessoas. Por que Deus quis colocar na Bíblia todos esses nomes? Não são mencionados apenas aqui, mas a mesma lista aparece em Esdras 2. Está claro que a *Editora de Deus* não se preocupava em contar palavras. Por que Deus quis que todos esses nomes estivessem em dois lugares da Bíblia? Parece uma perda de espaço. Eu creio que ele o fez por duas razões:

> Tudo o que tenha a ver com a obra de Deus é um ministério espiritual.

1) No ano 586 a.C., o rei Zorobabel permitiu que regressasse a Jerusalém o primeiro grupo de judeus levados ao cativeiro da Babilônia.

---

[15] Neemias 7.4,5.

As pessoas mencionadas por Esdras e Neemias estavam nesse primeiro grupo. Depois de setenta anos, estavam acomodados na Pérsia, ainda que não fosse sua terra. Regressar significava para eles dar um passo de fé. Eram o povo de Deus. Sua decisão foi difícil, mas queriam voltar para sua terra onde poderiam adorar ao Senhor.

2) Aqueles eram os que haviam reconstruído os muros. Seus nomes ficaram escritos para a posteridade, como reconhecimento do que haviam feito.

Deus se lembra de todos os passos de fé que damos e os reconhece. Essas listas são como um pequeno *Hall da Fama de Deus*. Milhares de anos mais tarde, conhecemos os nomes dos que reconstruíram os muros. Sabemos que tiveram fé suficiente para sair da Pérsia, regressar à sua terra e tratar de reconstruir o templo. Deus se lembra de todos os passos de fé que damos e os reconhece. Pareceu-lhe que aquelas pessoas eram importantes o suficiente para colocar o nome na Bíblia.

> Deus se lembra de todos os passos de fé que damos e os reconhece.

Eu me pergunto se meu nome estará na lista de honra de Deus. Essa é uma boa pergunta. Se Deus fizesse uma lista de pessoas que estão cumprindo sua vontade, eu estaria nela? Você estaria? Que evidências de fé existem em minha vida? E na sua? Deus pensa que estou fazendo o que ele quer que eu faça? O que ele pensa sobre você?

A segunda tarefa do bom administrador consiste em manter um bom registro.

Esforce-se para saber bem como suas ovelhas estão, dê cuidadosa atenção aos seus rebanhos.[16]

Deus está falando aos pastores, aos líderes. Precisamos conhecer nossas ovelhas. Em João, Jesus diz: "Eu sou o bom pastor; conheço as minhas ovelhas".[17] Toda boa organização sabe a quem pertence.

Ainda numa igreja tão grande como Saddleback, temos formas de manter o contato com nosso povo. Usamos bases de dados nos computadores, folhetos que as pessoas preenchem nas reuniões dos fins de

[16] Provérbios 27.23.
[17] João 10.14.

semana, e outras ferramentas, com o objetivo de seguir os passos das pessoas que consideram que Saddleback é sua igreja. Todas as semanas recebemos centenas de pedidos de oração, comentários, citações, ideias e outras petições. Eu leio as que posso, e o restante delego a outros membros do corpo administrativo. De imediato, temos na equipe certas pessoas que começam a atender a distintas necessidades de outros. Alguns recebem uma carta e outros uma visita. Para manter-me em contato, utilizo uma ferramenta chamada *O Resumo do Pastor*, que contém resumidamente toda a informação que chegou na semana. Os pedidos de oração, depois de separados dos comentários pessoais, vão para todos os membros da equipe, e todos recebem o resumo do pastor. Esses informativos regulares nos ajudam a conhecer bem o estado de nosso rebanho. Nós o fazemos porque a Bíblia nos manda manter uma boa contabilidade de nosso rebanho.

Saddleback é uma igreja muito grande, graças a Deus. Buscamos manter contato com nosso povo. Em geral, nosso sistema funciona bem. Sim, há pessoas com as quais perdemos o contato, mas estamos fazendo um esforço. A Bíblia fala do Bom Pastor, que deixou as 99 ovelhas para ir em busca da que se havia perdido. Como ele soube que ela se havia perdido? Porque ele as contou. Quando o total que somou era 99, ele se deu conta de que havia perdido uma. Nós contamos, não só para saber quais as que estão, mas para saber quais as que não estão. Na Igreja Saddleback temos um ditado: "Contamos as pessoas, porque as pessoas contam".

> Nós contamos, não só para saber quais as que estão, mas para saber quais as que não estão.

Os líderes necessitam recrutar boas pessoas, delegar e estender a liderança para ser eficazes. O líder precisa manter um bom registro, e saber onde se encontram as pessoas em seus momentos de necessidade.

Há uma terceira coisa que Neemias fez. É algo de que ninguém gosta, mas é a tarefa do líder.

3. Obtenha apoio financeiro

Alguns dos chefes das famílias contribuíram para o trabalho. O governador deu à tesouraria oito quilos de ouro, 50 bacias e 530 vestes para os sacerdotes. Alguns dos chefes das famílias deram à tesouraria cento e sessenta quilos de ouro e mil e trezentos e vinte quilos de prata, para a realização do trabalho. O total dado pelo restante do povo foi de cento e sessenta quilos de ouro, mil e duzentos quilos de prata e 67 vestes para os sacerdotes.[18]

Alguém tinha de pedir o dinheiro necessário para que a obra de Deus seguisse adiante. Neemias começou uma campanha de arrecadação de fundos, a fim de conseguir o dinheiro para restaurar o templo. Observe a ordem em que foram contribuindo.

Primeiramente, contribuíram os líderes. Eles eram os que tinham de dar o exemplo. O governador chegou até a dizer quanto ele estava dando. Se Neemias fizesse isso hoje, diríamos que ele estava querendo aparecer, mas o certo é que estava procurando ser modelo de uma conduta piedosa, estava dando o exemplo. Ele foi o que mais deu. Foi o que mais se sacrificou.

Em segundo lugar, os cabeças de família, que também contribuíram com seu presente. Se somarmos tudo o que se deu, chegaríamos a mais de 5 milhões de dólares em dinheiro hoje.

Em terceiro lugar, todos os demais, que deram o que tinham.

Senhor, ajuda-nos a aprender que não basta apenas triunfar, precisamos obter o prêmio. Ajuda-nos a aprender a ser tanto catalisadores quanto consolidadores. Obrigado pelo exemplo de Neemias. Sabemos que nem todos no mundo podem ter habilidades em ambos os aspectos, mas te agradecemos porque temos uma imagem, um modelo a seguir.

Queremos ser líderes que tu possas usar para mudar o mundo. Ajuda-nos a aprender a fazer com eficácia a transição dos papéis, recrutar pessoas capazes e responsáveis e confiar-lhes o trabalho que nós não podemos fazer sozinhos. Ajuda-nos a aprender a delegar tarefas.

Por último, Senhor, sabemos que as pessoas são muito mais importantes que o dinheiro, as coisas e os projetos. Ajuda-nos a achar

---

[18] Neemias 7.70-72.

formas criativas para saber quem são os nossos. Ajuda-nos a apren-der a administrar a base, conhecer os membros da nossa equipe, os membros da nossa igreja e o nosso pessoal. Como os que ajudaram a Neemias a reconstruir os muros, todos somos importantes para ti.

Senhor, ensina-nos por meio da tua Palavra a crescer no papel da li-derança que nos deste. Faze-nos como Neemias, Senhor. Faze-nos como tu. Pedimos-te em nome de Jesus. Amém.

GUIA PARA APLICAÇÃO DO PRINCÍPIO 10

Como os líderes mantêm o sucesso

Aplicando os propósitos de Deus

Comunhão – As pessoas necessitam de reconhecimento. Esta é uma das razões pelas quais no Corpo de Cristo encontramos reconhecimento e apoio entre os membros.

- Como líder, você conhece todos em seu grupo, igreja ou organização?

- Como você se sente ao ser cumprimentado por alguém a quem você respeita?

- Como a pessoa que separa um tempo para você o faz se sentir?

- O que você pode fazer para ser esse tipo de líder? O tipo de pessoa que todos querem que as cumprimente.

Discipulado – Alguma vez você alcançou grandes vitórias espirituais, logo perdendo-as por descuido? Todo cristão, mesmo os pastores, são suscetíveis a isso. O que não significa que você deixou de amar a Deus, mas que, temporariamente, esqueceu-se dele.

- Como você pode evitar que raízes de negligência cresçam em seu jardim espiritual?

- Você criou um plano regular e consistente de crescimento espiritual de sua vida cristã? Você está seguindo esse plano?

- Faça todo o esforço possível para ter um tempo com Deus diariamente. Apegue-se a ele. Os rituais são importantes para alcançar consistência, mas procure sempre maneiras novas de aproximar-se de Deus, evitando assim o estancamento espiritual. Tenha cuidado para não perder o que você ganhou.

Ministério – Como líder, você pode estar envolvido em um grande número de projetos valiosos, mas seu verdadeiro ministério é com sua equipe. Deus pede que os ensine a liderar como você lidera.

- Para ver seu negócio, ministério, igreja ou evento crescer, você necessita investir em gente de fé. Deve transmitir-lhes o que você conhece. Você está fazendo isso?

- Você investirá seu conhecimento, tempo e confiança naqueles que seguem suas pegadas?

- Que outra coisa você pode fazer? Você pode oferecer seminá-rios, classes, tutorias? Todas essas são maneiras duradouras de ministrar.

Evangelismo – Para alcançar as pessoas com as boas-novas de Cristo, devemos entender onde está sua necessidade. Um exemplo de quão valiosa é essa categoria está em Neemias 7.6-69.

- Como líder, como você pode descobrir as necessidades de sua comunidade?

- Onde Deus quer que você encontre essas necessidades?

- Como essa descoberta pode nos ajudar?

Adoração – Quando adoramos a Deus, expressamos nossa gratidão.

- Como nosso compromisso de manter as vitórias alcançadas é uma forma de agradecer a Deus?

- Agora que reconhece a importância desta faceta da liderança, o que você pode fazer para honrar ao Senhor por meio de seu negócio, ministério ou de sua vida pessoal? Mostre sua gratidão ao Senhor.

PONTOS PARA REFLEXÃO

Lemos os capítulos 1 a 7 de Neemias. Sabemos agora de que é feito um líder, como um líder deve orar, planejar, motivar outros, lidar com a oposição, organizar projetos, resolver problemas e vencer a tentação, sabemos os segredos dos superexecutores e, além do mais, como manter essa vitória, uma vez que foi alcançada. Agora que temos todos os ingredientes, como os mesclamos para fazer um grande líder? Nisso consiste nosso próximo capítulo.

CAPÍTULO 11

O que é preciso para ser um grande líder

O muro ficou pronto no vigésimo quinto dia de elul, em cinquenta e dois dias.[1]

No primeiro capítulo deste livro, descobrimos a verdade acerca da liderança: para ser líder não é necessário ser uma pessoa carismática, efervescente e repleta de energia. O que, *sim*, faz falta é caráter. A vida de Neemias nos ensina oito características dos grandes líderes.

Estude detidamente essas características. Revise-as continuamente. Interiorize-as em seu coração e você se converterá em um líder mais eficaz. Aprenderá a ser um líder ao estilo de Neemias.

1. Compaixão

Quando ouvi essas coisas, sentei-me e chorei. Passei dias lamentando-me, jejuando e orando ao Deus dos céus.[2]

Neemias realmente se interessava pelas pessoas. Se não fosse assim, por que um homem que tinha uma vida tão agradável se entristeceria tanto com a informação de que havia uns muros derrubados em uma cidade situada a milhares de quilômetros dali? Neemias se importava. Porque era um homem compassivo, quando ouviu dizer como era dura a vida em Jerusalém com os muros caídos ao chão, sentiu que tinha de fazer algo para ajudar.

Por acaso não é verdade que, quando as coisas vão bem para nós, é fácil esquecer que a maioria dos seres humanos do planeta está sofrendo?

[1] Neemias 6.15.
[2] Neemias 1.4.

Quando a vida está boa, é fácil esquecer que a maior parte das pessoas do mundo está passando por algum tipo de dor. A vida é dura, onde quer que vivamos.

Neemias era um homem compassivo. Sabia amar, e o amor é o fundamento da liderança cristã.

Olhe sua reação diante das injustiças. A comida era escassa, as casas estavam hipotecadas em excesso, os juros e os impostos eram incrivelmente altos e as pessoas se viam obrigadas a vender seus filhos como escravos, simplesmente para pagar suas dívidas. Neemias disse: "Quando ouvi a reclamação e essas acusações, fiquei furioso".[3]

> O amor é o fundamento da liderança cristã.

A ira diante do pecado é uma reação produzida pelo amor. Precisamos nos indignar diante do pecado. Precisamos ter revolta diante de alguém que fere outro. Isso constitui uma justa indignação. Devemos nos preocupar com o mesmo que Deus se preocupa. A ira de Neemias é evidência de sua compaixão pelas pessoas.

Em Neemias 5.17,18, lemos que ele assumiu pessoalmente o cuidado de 150 pessoas durante esse tempo. Era um homem compassivo.

As pessoas não se importam com quanto sabemos, enquanto não sabem o quanto nos importamos.

> As pessoas não se importam com quanto sabemos, enquanto não sabem o quanto nos importamos.

Na liderança, a base de tudo firma-se no amor. Você ama as pessoas? Preocupa-se com elas? A liderança sem amor se torna simplesmente uma manipulação.

2. Meditação

Os grandes líderes sabem, por instinto, que precisam equilibrar o uso do seu tempo. Precisam passar tempo com as pessoas para guiá-las, e precisam passar momentos a sós com Deus. O tempo de meditação é essencial para a eficácia do líder. Neemias era um homem de oração. Aprenda com o seu exemplo. Sua vida privada de oração determina a eficácia da sua liderança pública.

---

[3] Neemias 5.6.

Neemias era um homem de oração e meditação. Orava por tudo: cada decisão que devia tomar, cada crise que tinha de enfrentar, cada crítica que recebia. Sua oração do capítulo 1 é uma das grandes orações da Bíblia. Encorajo-o a estudá-la.

> Então eu disse: SENHOR, Deus dos céus, Deus grande e temível, fiel à aliança e misericordioso com os que te amam e obedecem aos teus mandamentos, que os teus ouvidos estejam atentos e os teus olhos estejam abertos para a oração que o teu servo está fazendo diante de ti, dia e noite, em favor de teus servos, o povo de Israel.[4]

Neemias orava de dia e de noite.

Quando fez sua cavalgada da meia-noite por Jerusalém, passou três dias no seu quarto, saindo somente à noite para inspecionar os muros. O que ele fazia durante todo esse tempo? Estava meditando, orando, inspecionando e falando com Deus. Revisava uma e outra vez na mente os acontecimentos, seus planos e as soluções que Deus lhe dava.

> A liderança sem amor se torna simplesmente uma manipulação.

Os grandes líderes sabem que seu tempo público deve estar equilibrado com seu tempo a sós com Deus.

> Quando ouvi a reclamação e essas acusações, fiquei furioso. Fiz uma avaliação de tudo e então repreendi os nobres e os oficiais.[5]

Neemias sabia colocar em funcionamento o cérebro antes de colocar sua língua em movimento. Era um homem de meditação. Esperava que Deus lhe desse a perspectiva correta: "Deus meu, o que queres que eu fale?".

Alguma vez você falou sem pensar? Como líder, você precisa aprender, assim como eu tive de aprender, que é importante pensar antes de falar. Os grandes líderes meditam. Neemias diz: "Meditei sobre o que ia dizer".

> O tempo de meditação é essencial para a eficácia do líder.

---

[4] Neemias 1.5,6a.
[5] Neemias 5.6,7a.

Antes de pregar meu sermão de fim de semana, eu passo em média dezesseis horas meditando nele. Leio, oro, repasso uma e outra vez minhas palavras. A meditação precede a ação. Uma vez feita a reflexão, a apresentação é automática. A meditação semeia em nossa mente o que deve ser apresentado.

> Os grandes líderes sabem que seu tempo público deve estar equilibrado com seu tempo a sós com Deus.

Neemias era um homem compassivo e de meditação. Preocupava-se com as pessoas e orava.

3. Atitude positiva

No mês de nisã do vigésimo ano do rei Artaxerxes, na hora de servir-lhe o vinho, levei-o ao rei. Nunca antes eu tinha estado triste na presença dele [...].[6]

Neemias tinha uma atitude positiva. Você gostaria de seguir um carrancudo?

Claro que não. Ninguém gosta. Todos nós preferimos seguir um líder que tenha uma atitude positiva. Ao que parece, Neemias era uma pessoa positiva e de bom ânimo. Havia servido o rei Artaxerxes por toda sua vida, e aquela era a primeira vez que havia chegado com o rosto triste e um semblante abatido. Sempre havia mostrado bom ânimo e otimismo. Não tinha o hábito de se queixar.

Os líderes devem ser encorajadores, não desanimadores. A função do líder é levantar as pessoas, não deixá-las cair. Por isso, o bom ânimo é uma característica importante.

> A meditação semeia em nossa mente o que deve ser apresentado.

Líder, você precisa se esforçar para isso! Sei que é uma notícia assombrosa, mas há entre nós alguns que, por natureza, não são pessoas de bom ânimo. Há alguns que se levantam pela manhã dizendo: "Senhor, bom dia!", e outros que se levantam dizendo: "Senhor, já é dia!".

Ainda que você não seja por natureza uma pessoa de bom ânimo, pode se esforçar para chegar a ser. Pode desenvolver essa qualidade.

---

[6] Neemias 2.1.

Pratique o sorriso. Eu o faço toda vez que entro no meu carro para tarefas de fim de semana da igreja. E a verdade é que não tenho vontade de fazê-lo, sobretudo aos domingos pela manhã. Estou ainda meio adormecido e meio acordado, mas começo a sorrir.

Ainda que você não acredite, pode conseguir ter uma boa atitude, começando por sorrir.

Os médicos dizem que se produz uma verdadeira mudança bioquímica quando começamos a sorrir, por causa dos hormônios que se produzem no nosso corpo. Quando saio do carro e me dirijo ao escritório, intencionalmente estou treinado a fazer uma pausa e começar a sorrir. Percebo que no escritório cada um leva sua própria carga, e muitos levam uma carga muito pesada. Não porque eu lhes dê excesso de trabalho, mas porque a vida não é fácil. Como seu líder, é importante que eu não entre com uma atitude que venha tornar a carga deles mais pesada ainda. Por isso, sorrio para mantê-los com bom ânimo. O mesmo faço quando chego a minha casa à noite. Quando entro pela porta, antes de girar a maçaneta, sorrio. Como líder do meu lar, eu sei que minha família não precisa dos problemas que enfrentei durante o dia.

> Alegria é diferente de felicidade. A felicidade depende do que acontece. A alegria é interna.

Como você pode ser um líder de bom ânimo, quando trabalha com um tipo de gente com a qual você trabalha? Como você pode ser um líder de bom ânimo quando se sente cansado e esgotado?

Neemias nos revela seu segredo.

Este dia é consagrado ao nosso SENHOR. Não se entristeçam, porque a alegria do SENHOR os fortalecerá.[7]

Apesar de todos os inimigos que tinha, Neemias se mantinha de bom ânimo porque tinha a alegria de Deus. Alegria é diferente de felicidade. A felicidade depende do que acontece. A alegria é interna. Não se baseia nas circunstâncias. Pode-se ter alegria em meio a uma tragédia. Pode-se ter alegria estando totalmente fatigado. "A alegria do SENHOR é nossa força", disse Neemias.

[7] Neemias 8.10.

Se você quer ser um líder como Neemias, seja compassivo, medite e tenha bom ânimo.

4. Concentração

Neemias estava sempre concentrado em sua meta. Não deixava que as coisas pequenas o distraíssem. No capítulo 2, previu os problemas que o esperavam. Sabia que precisaria de madeira, de modo que a pediu.

> Os líderes sempre pensam no futuro.

Sabia que necessitaria de proteção em sua viagem a Jerusalém, e pediu adiantado um salvo-conduto. Precisaria de um lugar para viver, e o pediu adiantado também. Está claro que tinha tudo bem pensado antes de sair. Havia se concentrado no que necessitava ter.

Os líderes sempre pensam no futuro. Sempre vão à frente de todos os demais. Isso é o que os separa dos seus seguidores. Essa maneira de pensar, antecipar os problemas e ter já uma solução para enfrentá-los, exige concentração. É uma das características da liderança.

A pronta capacidade de Neemias para concentrar-se é o que o ajudou a enfrentar as distrações que lhe proporcionaram seus inimigos.

> Sambalate e Gesém mandaram-me a seguinte mensagem: "Venha, vamos nos encontrar num dos povoados da planície do Ono". Eles, contudo, estavam tramando fazer-me mal; por isso enviei-lhes mensageiros com esta resposta: "Estou executando um grande projeto e não posso descer. Por que parar a obra para ir encontrar-me com vocês?" Eles me mandaram quatro vezes a mesma mensagem, e todas as vezes lhes dei a mesma resposta.[8]

Neemias sabia o que estavam tramando seus inimigos, e negou-se a deixar que o distraíssem. Esta é uma das características da liderança: a capacidade de focar-se no que necessita fazer, sem deixar-se distrair. Neemias não permitiu que nada atrasasse o término do muro.

O princípio da concentração é este: *O principal é que o principal continue sendo o principal.* Essa é outra característica da liderança.

---

[8] Neemias 6.2-4.

Paulo disse: "Mas uma coisa faço".[9] Não disse: "Estas quarenta coisas trato de fazer ao mesmo tempo". A luz, quando está enfocada, tem um poder imenso. Converte-se em *laser*. Diferentemente, a luz difusa não tem poder algum. Quanto mais focada estiver sua vida, mais eficaz você será.

> O principal é que o principal continue sendo o principal.

Se você não é capaz de concentrar-se por natureza, pode aprender. O principal é negar-se a deixar que o distraiam. Isso é o que Neemias fez, e é uma característica dos grandes líderes: a concentração, a capacidade para focar-se em algo.

5. Criatividade

Neemias era criativo na hora de resolver problemas. Há pessoas que pensam que se nasce criativo, e é verdade; no entanto, a criatividade é uma habilidade que também pode ser aprendida. Se você não se considera uma pessoa criativa, pode desenvolver essa habilidade. É simplesmente uma forma de pensar.

Hoje em dia temos uma grande quantidade de livros e recursos ao nosso alcance para nos ensinar a ser pessoas mais criativas. Edward de Bono, autor *de New think*[10] e *Lateral thinking*,[11] é o melhor autor no tema criatividade. Gravou também uma série chamada *Six Thinking Hats*, na qual descreve as seis formas distintas do pensamento humano. Ou melhor, há dois livros excelentes, escritos por Roger von Oech: *A Whack on the Side of the Head*[12] e *A Kick in the Seat of the Pants*[13]. Esse tipo de recurso pode ajudá-lo a pensar criativamente. Esses livros ajudarão você a se dar conta de que, às vezes, faz bem sair da linha quando se está colorindo.

Como líder, você terá de enfrentar novos desafios. E os novos desafios exigem novas soluções quando as mesmas coisas de sempre não funcionam.

---

[9] Filipenses 3.13.

[10] DeBono, Edward. **New Think [Novo pensamento]**. Nova York: Avon, 1971.

[11] DeBono, Edward. **Lateral Thinking [Pensamento lateral]**. [S.l.]: Harper & Rowe, 1970.

[12] Von Oech, Roger. **A Whack on the Side of the Head**. [S.l.]: HarperCollins Publishers, 1990. [**Um toc na cuca**. [S.l.]: Ed. de Cultura, 1998.]

[13] Von Oech, Roger. **A Kick in the Seat of the Pants**. [S.l.]: Perennial Currents, 1986. [**Um chute na rotina**. [S.l.]: Ed. de Cultura, 1998.]

Quando os que se opunham à reconstrução dos muros disseram: "Vamos atacá-los enquanto estão levantando os muros", Neemias idealizou uma solução criativa.

> Por isso posicionei alguns do povo atrás dos pontos mais baixos do muro, nos lugares abertos, divididos por famílias, armados de espadas, lanças e arcos.[14]

Dividiu-os por famílias e os colocou diante de suas próprias casas, para que edificassem a parte dos muros que estava mais próxima delas.

> [...] Lembrem-se de que o SENHOR é grande e temível e lutem por seus irmãos, por seus filhos e por suas filhas, por suas mulheres e por suas casas. Quando os nossos inimigos descobriram que sabíamos de tudo e que Deus tinha frustrado a sua trama, todos nós voltamos para o muro, cada um para o seu trabalho. Daquele dia em diante, enquanto a metade dos meus homens fazia o trabalho, a outra metade permanecia armada de lanças, escudos, arcos e couraças.[15]

Quando seus inimigos apresentaram novos conflitos, Neemias tomou um enfoque criativo para resolvê-los.

Ele sabia que as pessoas trabalhariam com maior eficácia em seus grupos naturais; assim, organizou-os dessa forma. Além do mais, ao trabalhar com uma unidade familiar, o natural era que se apoiassem mutuamente. Neemias estava sendo criativo. A metade deles edificava os muros, enquanto a outra metade fazia a guarda com espadas e lanças. Depois intercambiavam as responsabilidades. Neemias buscava soluções criativas para todos os problemas.

Você também pode ser criativo na hora de resolver problemas, se você decidir aprender a ser um líder como Neemias.

6. Coragem

Quando pensamos em tudo o que Neemias suportou enquanto perseguia suas metas, vemos nele um homem de coragem. Deixou um trabalho seguro, tranquilo e bem-pago, no melhor momento de sua carreira,

---

[14] Neemias 4.13.
[15] Neemias 4.14-16.

para ir aonde nunca havia estado antes, e fazer algo para o que não havia sido treinado. Temos em Neemias um mordomo que diz: "Vou a um país estranho para supervisionar um projeto de construção". Ele não tinha preparo nenhum para o que foi fazer. Aquela decisão exigiu coragem. Ele a tomou porque cria que Deus o havia chamado para a tarefa.

> No mês de nisã do vigésimo ano do rei Artaxerxes, na hora de servir-lhe o vinho, levei-o ao rei. Nunca antes eu tinha estado triste na presença dele; por isso o rei me perguntou: "Por que o seu rosto parece tão triste se você não está doente? Essa tristeza só pode ser do coração!" Com muito medo, eu disse ao rei: Que o rei viva para sempre! Como não estaria triste o meu rosto se a cidade em que estão sepultados os meus pais está em ruínas e as suas portas foram destruídas pelo fogo? O rei me disse: "O que você gostaria de pedir?" Então orei ao Deus dos céus e respondi ao rei: Se for do agrado do rei e se o seu servo puder contar com a sua benevolência, que ele me deixe ir à cidade onde meus pais estão enterrados, em Judá, para que eu possa reconstruí-la.[16]

Neemias sabia que a petição que fez ao rei podia significar uma sentença de morte automática se o rei se recusasse a aceitá-la. Não é de estranhar que estivesse assustado. Quando o rei lhe perguntou por que estava triste, ele confessou em seu diário: "Com muito medo, eu disse ao rei [...]".

Coragem é quando só você e Deus sabem que você tem medo. A coragem não é a ausência de medo, mas é seguir em frente apesar dele.

Quando o inimigo veio e disse que ia atacá-lo, Neemias diz para os seus leitores:

> Fiz uma rápida inspeção e imediatamente disse aos nobres, aos oficiais e ao restante do povo: Não tenham medo deles. Lembrem-se de que o SENHOR é grande e temível e lutem por seus irmãos, por seus filhos e por suas filhas, por suas mulheres e por suas casas.[17]

Em toda a sua vida, Neemias nunca havia estado à frente de um exército. Nunca havia lutado uma só batalha. No entanto, sim, ele tinha a coragem necessária para fazer o que Deus lhe havia dito para fazer.

---

[16] Neemias 2.1-5.
[17] Neemias 4.14.

No capítulo 5, ele enfrentou a corrupção política. Irou-se quando chegou ao seu conhecimento a forma tão injusta pela qual os ricos estavam tratando os pobres. Então, ele os enfrentou publicamente.

Fiz uma avaliação de tudo e então repreendi os nobres e os oficiais, dizendo-lhes: "Vocês estão cobrando juros dos seus compatriotas!" Por isso convoquei uma grande reunião contra eles e disse: Na medida do possível nós compramos de volta nossos irmãos judeus que haviam sido vendidos aos outros povos. Agora vocês estão até vendendo os seus irmãos! Assim eles terão que ser vendidos a nós de novo! Eles ficaram em silêncio, pois não tinham resposta. Por isso prossegui: O que vocês estão fazendo não está certo. Vocês devem andar no temor do nosso Deus para evitar a zombaria dos outros povos, os nossos inimigos. Eu, os meus irmãos e os meus homens de confiança também estamos emprestando dinheiro e trigo ao povo. Mas vamos acabar com a cobrança de juros! Devolvam-lhes imediatamente suas terras, suas vinhas, suas oliveiras e suas casas, e também os juros que cobraram deles, a centésima parte do dinheiro, do trigo, do vinho e do azeite. E eles responderam: "Nós devolveremos tudo o que você citou, e não exigiremos mais nada deles. Vamos fazer o que você está pedindo". Então convoquei os sacerdotes e os fiz declarar sob juramento que cumpririam a promessa feita. Também sacudi a dobra do meu manto e disse: Deus assim sacuda de sua casa e de seus bens todo aquele que não mantiver a sua promessa. Tal homem seja sacudido e esvaziado! Toda a assembleia disse: "Amém!", e louvou ao SENHOR. E o povo cumpriu o que prometeu.[18]

Ele estava irado. Os líderes precisam ter a coragem necessária para confrontar quando veem uma injustiça sendo cometida.

O que é coragem? Na realidade, é um sinônimo de fé. Ser corajoso significa estar disposto a correr risco, disposto a dar um passo de fé. Isso foi o que Neemias fez. Se você quer caminhar sobre a água, precisa descer do barco. Você tem de se arriscar, e, algumas vezes, isso significa que você precisará dar um primeiro passo de fé. A coragem é característica dos grandes líderes.

> A coragem é característica dos grandes líderes.

---

[18] Neemias 5.7-13.

7. Integridade

Neemias era um homem íntegro. Sabia lidar muito bem com o sucesso. A maioria de nós lida melhor com os fracassos do que com os sucessos, de modo que podemos aprender muito se estudamos seu exemplo.

> Mas os governadores anteriores, aqueles que me precederam, puseram um peso sobre o povo e tomavam dele quatrocentos e oitenta gramas de prata, além de comida e vinho. Até os seus auxiliares oprimiam o povo. Mas, por temer a Deus, não agi dessa maneira.[19]

Neemias havia sido nomeado governador daquela região por Artaxerxes, o rei da Pérsia, o homem mais poderoso de seu tempo. Isso o convertia no homem mais poderoso de toda a Judeia. Durante os doze anos em que ocupou aquele cargo, pôde fazer o que queria. Ele poderia ter feito como muitos ditadores modernos, e juntar uma considerável fortuna pessoal. Ele era o homem mais poderoso daquelas terras, não tinha de informar a ninguém, não tinha de prestar contas diante de ninguém. Ao contrário, decidiu rejeitar a tentação das riquezas, em favor da compaixão para com o povo.

Neemias era um homem íntegro. Porque se negou a beneficiar-se da sua posição, porque foi generoso com os pobres e ajudou a acabar com as injustiças, era um homem com a consciência limpa.

Quando alguém triunfa, há três coisas que acompanham o sucesso: o poder, o prestígio e os privilégios. E é fácil sentir-se tentado a abusar dessas três coisas. Neemias resistiu diante dessas tentações por reverência a Deus. Era um líder com uma consciência limpa.

8. Convicções

Os grandes líderes têm fortes convicções. Podem até discutir por opiniões, mas as convicções são algo pelo que estão dispostos a morrer. Neemias era um homem com convicções. Cria que Deus o havia chamado a realizar aquele trabalho, e não havia nada que o pudesse deter. Nada do que intentavam seus inimigos pôde impedir que os muros fossem levantados. Provaram com zombarias, desânimo, medo, discórdia, divisões,

---

[19] Neemias 5.15.

distrações, difamação, e até ameaça. No entanto, não conseguiram tirar de Neemias as suas profundas convicções.

Ele baseava suas convicções nestas quatro coisas: 1) um motivo que o impulsionava; 2) uma perspectiva clara; 3) oração contínua; 4) intrépida perseverança.

Neemias seguiu adiante, apesar de tudo. Ainda que ele e Paulo nunca tenham se conhecido, ambos compreendiam a mesma coisa:

E não nos cansemos de fazer o bem, pois no tempo próprio colheremos, se não desanimarmos.[20]

Pai, a viagem tem sido emocionante enquanto percorremos com Neemias a rota da liderança. Ele nos ensinou muito acerca desse tema; lições que podemos aplicar na prática como líderes de nossa igreja, nossa casa ou nosso trabalho. Todos nós somos chamados para ser líderes em diferentes momentos. Pedimos-te que possamos compreender que o fundamento da liderança é o caráter, não o carisma, nem os estudos ou os talentos.

Queres incorporar essas qualidades à nossa vida? Peço-te por todas as pessoas que leiam este livro, para que lhes dês oportunidades de fortalecer seus aspectos débeis e aproximarem-se cada dia mais do que tu queres que sejam. Pedimos-te em nome de Jesus. Amém.

---

[20] Gálatas 6.9.

O que é preciso para ser um grande líder

GUIA PARA APLICAÇÃO DO PRINCÍPIO 11

O que é preciso para ser
um grande líder

Aplicando os propósitos de Deus

Comunhão – Um dos propósitos do Corpo de Cristo é levantar outros.

- Há alguém em seu grupo de crescimento ou célula ou em sua comunidade cristã que precise de uma palavra de ânimo?

- Se Deus está revelando seu nome, quem deve se oferecer para dar a palavra?

- Pode ser que Deus o esteja chamando?

Discipulado – Aprendemos a ser como Jesus ao passarmos tempo com ele. Isso é discipulado: querer ser como Jesus. Ele nos ensina a caminhar e a obedecer.

- A habilidade de observar nos faz discípulos de Cristo.

- Neemias sabia como concentrar-se, porque sabia observar. Ele passava longas horas em oração, buscando as respostas corretas. Que características de Neemias você pode aplicar para focar-se melhor?

Ministério – Se Deus o chamou para ser líder, seu ministério está com as pessoas que você lidera. Elas sabem que você as ama?
A liderança sem amor não é outra coisa senão manipulação.
O mundo está cheio de exemplos dessa verdade.

- Qual é o próximo passo a dar para mostrar seu amor pelas pessoas?

- Quanto você deseja ser um líder como Neemias?

Vocês são a luz do mundo. Não se pode esconder uma cidade construída sobre um monte.[21]

---

[21] Mateus 5.14.

Evangelismo – Jesus nos chama para sermos luz do mundo (Mateus 5.14); assim é como ganharemos outros para o Reino de Cristo. A luz com foco tem poder. A luz que se dispersa perde poder. A luz difusa não tem nenhum poder.

- Que tipo de luz você é?
- Como você pode desenvolver a habilidade de focar sua luz nos que necessitam de você?

Adoração – Neemias reconheceu a importância de identificar quem é Deus. Quando adoramos a Deus, estamos reconhecendo seu caráter. Uma e outra vez vemos Neemias identificar a Deus como grandioso, maravilhoso, poderoso e cheio de graça.

- Como a forma pela qual você vê a Deus afeta sua liderança?
- O que você pode fazer nos momentos de sossego para melhorar sua relação com Deus? Ele quer desenvolver seu caráter em você. Você está cooperando para que isso aconteça?
- Se você quer ser um líder usado por Deus, deve refletir seu caráter. Conheça-o primeiro, e o resto virá por acréscimo.
- Qual será a próxima coisa que você fará como resultado da sua liderança? Anote isso e coloque a data. Peça a um companheiro que o apoie em seu compromisso, inspecionando o progresso de seu projeto.

Os céus e a terra passarão, mas as minhas palavras jamais passarão.[22]

PONTOS PARA REFLEXÃO

- Qual das oito qualidades para ser um bom líder é mais forte em você?
- Qual é a mais fraca? Escreva-a. Quanto vulnerável é essa área de debilidade em você?
- Que qualidade você gostaria de desenvolver mais? Reconheça a necessidade de identificar claramente algo no que vai trabalhar.

[22] Mateus 24.35, Marcos 13.31, Lucas 21.33.

O que é preciso para ser um grande líder

- O que você fará nesta semana para praticar essa qualidade? Pense em um projeto que Deus gostaria que você desenvolvesse.

Relembre as grandes lições da vida de Neemias:
Nunca se renda!
Seu caráter é o que você vai ter na eternidade.

CAPÍTULO 12

Epílogo: Como Neemias liderou ao estilo de Jesus, o líder dos líderes

Espero que, enquanto você lê este livro, esteja pensando nas qualidades de caráter que Deus quer desenvolver em sua vida. Você está disposto a ser outro Neemias, comprometido em fazer tudo o que Deus pedir para mudar as coisas ao seu redor?

Pense em tudo o que você leu a respeito de Neemias, e faça a si mesmo estas perguntas:

1. Quais destas qualidades de caráter são as mais fortes em sua vida?
   - compaixão
   - meditação
   - atitude positiva
   - concentração
   - criatividade
   - coragem
   - integridade
   - convicções
2. Quais dessas qualidades de caráter são as mais frágeis em você?
3. Quais dessas qualidades de caráter você gostaria de desenvolver mais? É difícil trabalhar em algo que nós não identificamos com clareza.
4. O que você pode fazer para praticar essa qualidade? Há algum projeto em que está trabalhando, ou que vai iniciar, no qual você tem a oportunidade de manifestar a qualidade que quer obter em sua vida? Obrigue-se, se for necessário, a fazer uma aplicação prática. Se você não o fizer de forma consciente,

é possível que não aconteça, e seria uma vergonha você não permitir o desenvolvimento dos propósitos de Deus para sua vida como um líder.

A razão pela qual Neemias é um exemplo tão maravilhoso para nós hoje, é, simplesmente, ele ter sabido ser um líder ao estilo de Jesus. Ainda que tenha vivido antes dos tempos de Cristo, e ainda que nunca tivesse conhecido o apóstolo Paulo, Neemias entendia que a fé, a esperança e o amor são os ingredientes secretos de um líder eficaz. Meu objetivo ao apresentar-lhe este livro é que você se prepare para que essas metas deixem de ser secretas. Espalhe a notícia. Aprender a ser um líder ao estilo de Neemias é a base para aprender a ser um líder ao estilo de Jesus. Seja um exemplo que outros possam seguir. Juntos podemos fazer parte do grande plano de Deus para o Reino dos céus. Podemos mudar as coisas na eternidade. Além das características do Tipo Um e do Tipo Dois, encontra-se o chamado mais alto para a liderança espiritual.

Quero terminar este livro apresentando as sete responsabilidades de um líder espiritual. Estude-as e aplique-as. Se você o fizer, aprenderá a ser um líder ao estilo de Neemias. Quando você decidir deixar de seguir outros e começar a ser líder, estará motivado pela fé em Deus, pela esperança do céu e pelo amor aos outros, e aprenderá a ser líder ao estilo de Jesus. Veja o que ele fazia:

1. Ajudava-os a conhecer a Deus

Sua primeira responsabilidade como líder cristão é ajudar os demais a conhecer a Deus. O que está em jogo é a eternidade: vida ou morte, céu ou inferno.

> Eu revelei teu nome àqueles que do mundo me deste. Eles eram teus; tu os deste a mim, e eles têm obedecido à tua palavra.[1]

A vida toda é um empréstimo feito por Deus. Ele nos criou a todos e a cada um de nós. Como líder, as responsabilidades que Deus deu a você têm a ver, na realidade, com a mordomia. Você precisa dizer a Deus: "Sou o administrador do que tu colocaste sob meu cuidado".

---

[1] João 17.6.

Observe o que Jesus diz: "Eu revelei teu nome àqueles que do mundo me deste". O que ele fez foi revelá-lo. Jesus guiava por meio do exemplo. Veja agora um pensamento profundo que deveria nos assustar — como líderes, quer seja na igreja, quer seja no mundo dos negócios ou na família: o que outros pensam sobre Deus vai fundamentar em maior medida o que pensam sobre você.

> O que está em jogo é a eternidade: vida ou morte, céu ou inferno.

Se você é impaciente e exigente, fará que Deus pareça também impaciente e exigente. Se você é distante e desapegado, fará que Deus tenha esse aspecto. Neste mundo, são muitas as pessoas que nunca tiveram uma boa relação com seu pai terreno. Talvez uma delas seja você. Agora, porém, você foi socorrido por Deus, que é o Pai perfeito. Como você quer que os outros o vejam? Certifique-se que seja isso o que veem em você.

Os cristãos têm uma responsabilidade com os que não conhecem Cristo. Você tem certeza de que todos os que você lidera são cristãos? Deus está lhe dando a oportunidade de ser um canal, o mensageiro, o exemplo que eles observam para ver como ele é. Se as pessoas são atraídas pelas qualidades que veem em você, é mais provável que se sintam atraídas a Deus.

> O que outros pensam sobre Deus vai fundamentar em maior medida o que pensam sobre você.

Você verá que o nascimento espiritual sempre precede o crescimento espiritual. E, antes de poder crescer espiritualmente, a pessoa tem de conhecer a Deus pessoalmente. Aqui estamos pensando em razão de céu e inferno. Estamos tratando de questões eternas.

2. Ensinava-lhes a Palavra de Deus

> Pois eu lhes transmiti as palavras que me deste, e eles as aceitaram. Eles reconheceram de fato que vim de ti e creram que me enviaste.[2]

A Palavra de Deus é nosso fundamento. É sobre ela que edificamos nossa vida. É sólida. É nosso manual. É nosso livro-texto.

---

[2] João 17.8.

Jesus disse: "E conhecerão a verdade, e a verdade os libertará".[3] Deus quer que todos sejamos livres. Não quer ninguém escravizado pelo pecado, pela culpa, angústia ou pelo ressentimento. Não quer que as expectativas dos demais nos pressionem. Só uma vida edificada sobre a Palavra de Deus pode conhecer a liberdade genuína. Como líder, o que você pode fazer para ensinar os outros a se apoiar na Palavra de Deus como a única autoridade sobre sua vida? Antes de poder ensinar, você precisa conhecer a Palavra de Deus. E, para muitos, isso significa começar a estudá-la a fundo.

3. Orava por eles

> Eu rogo por eles. Não estou rogando pelo mundo, mas por aqueles que me deste, pois são teus.[4]

Jesus orava pelas pessoas que liderava. Para que você realize algo significativo como líder espiritual, Deus quer que faça o mesmo.

Orar pelo quê? Ore pelos cinco propósitos de Deus. Esses cinco propósitos divinos são os mesmos para todos. Jesus menciona todos. De fato, orou por esses cinco propósitos com respeito aos seus liderados.

> Adorar é desfrutar de Deus. Quando você aprender a viver com alegria para Cristo, estará levando uma vida de adoração.

Em primeiro lugar, orou a fim de que vivessem com gozo para ele.

> Agora vou para ti, mas digo estas coisas enquanto ainda estou no mundo, para que eles tenham a plenitude da minha alegria.[5]

Adorar é desfrutar de Deus. Quando você aprender a viver com alegria para Cristo, estará levando uma vida de adoração.

> Não rogo que os tires do mundo, mas que os protejas do Maligno.[6]

De que maneira se cresce espiritualmente? Não crescemos quando as coisas são cômodas, fáceis e convenientes. De fato, quando as coisas vão muito bem na vida, é provável que não estejamos crescendo.

---

[3] João 8.32.
[4] João 17.9.
[5] João 17.13.
[6] João 17.15.

Crescemos em meio a provas, tribulações, problemas e até tentações. Sempre se trata da oportunidade de tomar a decisão correta. Crescemos por meio de problemas, pressões, estresse e situações que causam conflitos. Por essa razão é que, quando Jesus ora que cresçam, não está orando que Deus faça a vida deles fácil.

Santifica-os na verdade, a tua palavra é a verdade.[7]

Outras versões da Bíblia dizem: "Prepara-os para servir-te por meio da verdade. Teus ensinos são verdadeiros". O líder espiritual ora que seu povo sirva a Cristo com eficácia, viva para Cristo com alegria e cresça espiritualmente para servi-lo melhor.

Minha oração não é apenas por eles. Rogo também por aqueles que crerão em mim, por meio da mensagem deles, para que todos sejam um, Pai, como tu estás em mim e eu em ti. Que eles também estejam em nós, para que o mundo creia que tu me enviaste.[8]

O líder espiritual ora que os demais experimentem pessoalmente a comunhão com Deus. Lembre-se de que esta vida é uma preparação para a eternidade. Uma das coisas que vamos fazer no céu é amar uns aos outros. Isso se chama comunhão. E a maior tarefa que podemos aprovar na vida terrena é aprender a nos amar de verdade. O mundo vai ser ganho quando o povo de Deus se unir. Ore por aqueles de quem você é líder. Peça a Deus que os traga à sua família.

Jesus orou que os discípulos o levassem continuamente a outros. Diz o versículo 20: "Minha oração não é apenas por eles. Rogo também por aqueles que crerão em mim, por meio da mensagem deles". Ele esperava que nós nos reproduzíssemos. Então, ore que aqueles a quem você orienta se convertam em evangelistas para Cristo.

4. Infundia-lhe seu caráter

Dei-lhes a glória que me deste, para que eles sejam um, assim como nós somos um.[9]

[7] João 17.17.
[8] João 17.20,21.
[9] João 17.22.

O que é a glória de Deus? É o caráter de Deus, a sua natureza. É o que Deus é. É o seu próprio ser. Quando Jesus diz: "Eu lhes dei a glória que me deste", está dizendo: "Estou colocando neles o meu caráter, minhas qualidades".

Na sua qualidade de líder cristão, sua vida está em constante exibição diante daqueles que você guia. A meta da vida é crescer no caráter e na semelhança de Jesus Cristo.

Isso significa desenvolver em nós suas qualidades: integridade, generosidade, humildade. Significa cumprir sua Palavra e servir aos outros, e fazer tudo com confiança, perseverança e paciência. Todas essas qualidades encontram-se na vida do nosso Senhor. Nossa meta é integrá-las em nossa vida e na daqueles que nos consideram seus líderes.

5. Protegia seu crescimento espiritual

Enquanto estava com eles, eu os protegi e os guardei no nome que me deste. Nenhum deles se perdeu, a não ser aquele que estava destinado à perdição, para que se cumprisse a Escritura.[10]

O sinal do líder espiritual é a proteção. Ele guarda os seus liderados. Ele protege o crescimento espiritual daqueles que estão debaixo de seu cuidado.

... pastoreiem o rebanho de Deus, que está aos seus cuidados. Olhem por ele, não por obrigação, mas de livre vontade, como Deus quer. Não façam isso por ganância, mas com o desejo de servir. Não ajam como dominadores dos que foram confiados a vocês, mas como exemplos para o rebanho.[11]

6. Enviava-os para servirem a Deus

Assim como me enviaste ao mundo, eu os enviei ao mundo.[12]

Uma paráfrase da Bíblia diz: "Da mesma maneira que tu me deste uma missão para cumprir no mundo, agora eu lhes dou uma missão

---

[10] João 17.12.
[11] 1Pedro 5.2,3.
[12] João 17.18.

no mundo". A meta do líder é trabalhar para ficar sem trabalho. Como líderes cristãos, estamos preparando e orientando continuamente a próxima geração de líderes. Certifique-se de os estar preparando para que sejam enviados, mas não os administrando integralmente nem controlando todos os seus movimentos.

> A meta do líder é trabalhar para ficar sem trabalho.

7. Foi modelo de compromisso

Em favor deles eu me santifico, para que também eles sejam santificados pela verdade.[13]

Ninguém pode levá-lo, espiritualmente, além do nível em que você está. O que os outros podem ver em você a respeito da sua consagração? Com o que você quer que eles o vejam comprometido?

Eu sugiro que você se comprometa com os cinco propósitos de Deus para sua vida. Comprometa-se a conhecê-lo e amá-lo (adoração). Comprometa-se a aprender a amar os outros em comunhão (companheirismo). Comprometa-se a desenvolver um caráter semelhante ao de Cristo (discipulado). Comprometa-se a ser um servo na vida e não só um aproveitador (ministério). Disponha-se a servir aos outros de forma desinteressada.

Comprometa-se a compartilhar as boas-novas (evangelismo). Quando você se comprometer com os propósitos de Deus para sua vida, os outros verão esse seu compromisso. A atração de um coração completamente entregue a Deus é irresistível.

Dê-se conta de que seu papel de líder é apenas temporário. Não vai durar para sempre e, por isso, você tem de aproveitar ao máximo agora. Nunca é tarde demais para começar a ser um líder ao estilo de Neemias. Qualquer que seja a situação atual na sua vida, você pode também ser um líder ao estilo de Jesus.

Pai, te dou graças porque não nos deixaste órfãos, nem abandonados neste mundo, mas nos deste exemplos de carne e osso para seguir, como Neemias e Jesus.

[13] João 17.19.

Dá-nos um coração que palpite no mesmo ritmo que o teu, Senhor, quando nos tornarmos líderes capazes de mudar as coisas na vida. Desafia-nos, dia após dia, e lembra-nos todos os dias que o importante é:

- *Ajudar os outros a chegar a conhecer-te.*
- *Ensinar tua Palavra.*
- *Orar pelos que tu puseste debaixo de nossa liderança.*
- *Edificar teu caráter em nós mesmos e nos outros.*
- *Proteger o crescimento espiritual de meus discípulos.*
- *Enviá-los para que cumpram teus propósitos.*
- *E ser modelo de um compromisso semelhante ao teu.*

Senhor, peço-te que as lições deste livro, unidas ao poder da tua Palavra e à presença do Espírito Santo em nossa vida, nos convertam em líderes como Neemias, líderes como Jesus... Líderes que ganhem os corações e as mentes para o céu. Em nome de Jesus te pedimos. Amém.

GUIA PARA APLICAÇÃO DO PRINCÍPIO 12

Epílogo: Como Neemias liderou ao estilo de Jesus, o Líder dos líderes

Aplicando os propósitos de Deus

Comunidade – Quando nos tornamos cristãos, a Bíblia diz que somos membros do Corpo de Cristo.

- O amor é uma ação, não um sentimento. O que você está fazendo hoje para demonstrar seu amor pelos outros membros da família de Deus?

- Como você está moldando um amor como o de Cristo por outros cristãos por meio de sua vida, como um exemplo para os outros?

Discipulado – Um discípulo reflete os ensinos do mestre. Como cristãos, devemos seguir o modelo de Cristo, aprendendo com ele.

- O que você está fazendo para assegurar constância, crescimento pessoal constante em seu caráter para ser como Cristo?

- Há algum compromisso para o qual Deus o está chamando e que você tenha deixado de lado? Por que não lhe pede que o revele, para que você saiba qual é? Lembre-se: se você está insatisfeito em qualquer área de sua igreja ou organização, esta podem ser justamente o lugar no qual Deus o está chamando para exercer a liderança.

Ministério – Como membros da família de Deus, somos chamados para servir uns aos outros, assim como fazemos como membros de nossa casa.

- Onde você está servindo no Corpo de Cristo?

- Se Deus revelou uma área de serviço enquanto você está lendo este livro, o que você vai fazer a esse respeito?

- Como você pode estar seguro de que não está perdendo oportunidades de servir ao seu redor?

Por eles me santifico a mim mesmo, para que eles também sejam santificados na verdade.[14]

Evangelismo – Nenhuma ferramenta é melhor para ganhar almas e corações para o Reino de Deus do que uma pessoa que alcança outros com seu coração e alma.

- Que diferença Deus tem feito em sua vida?

- Como você está compartilhando essa mensagem com outros?

- Às vezes, estar ao redor de pessoas que parecem casos perdidos pode ser desalentador. Pense, no entanto, em sua vida anterior, antes de Cristo entrar nela. Você dá essa imagem de esperança renovada aos outros? Seja como Neemias, não se renda! A quem você pode alcançar com a sua história de esperança?

Adoração – Enquanto adoramos a Deus, nós nos tornamos mais como ele. Recorde que sua glória é seu caráter, de modo que, enquanto nos aproximamos mais dele, enquanto nos aprofundamos no seu rosto, não podemos deixar de refletir seu caráter.

- Sua vida é um reflexo do Deus que você conhece?

- O que você aprendeu a respeito de adoração neste livro que não tenha aprendido antes? Que diferença está fazendo esta lição na sua vida?

- Como Neemias adorava a Deus? Como suas ações refletiam um coração de adorador? Na sua vida, que evidência há dessa adoração?

O que você fará a seguir como resultado de ter lido este livro? Escreva isso e date o que escreveu. Conte para um amigo confiável e peça-lhe que guarde seu compromisso, revisando diariamente seu progresso.

O céu e a terra passarão, mas as minhas palavras não passarão.[15]

---

[14] João 17.19, **AEC**.
[15] Mateus 24.35, Marcos 13.31, Lucas 21.33.

PONTOS PARA REFLEXÃO

- Em que você precisa aprender a liderar como Jesus? Revise os cinco propósitos para sua vida. Certifique-se de procurar cumpri-lo diariamente. Como você pode ter certeza de que está fazendo isso?

- O que você está fazendo para trabalhar com esses propósitos na vida dos outros? Como você pode manifestar Jesus para alguém hoje em dia?

- Quando você espera começar a aplicar as lições que aprendeu neste livro? Por onde começará?

- Por que é essencial liderar como Neemias? Por que é essencial aprender a liderar como Jesus?

Lembre-se das palavras de partida de Jesus:

"Não ficarei mais no mundo, mas eles ainda estão no mundo, e eu vou para ti. Pai santo, protege-os em teu nome, o nome que me deste, para que sejam um, assim como somos um."

Certifique-se de orar com essas palavras por aqueles que Deus pôs aos seus cuidados — seja um grupo de trabalho, seja um grupo na igreja, ou seus filhos. Seja um Jesus de carne e osso para eles.

Esta obra foi composta em *Swift Neue LT Pro*
e impressa por Gráfica Patras sobre papel
Polen Bold 70g/m² para Editora Vida.